CRER
OU NÃO
CRER

Pe. FÁBIO DE MELO
e LEANDRO KARNAL

UMA CONVERSA SEM RODEIOS
ENTRE UM HISTORIADOR ATEU
E UM PADRE CATÓLICO

Planeta

Preparação: Andressa Veronesi
Revisão técnica: Marcelo Cavallari
Revisão: Maria A. Medeiros e Isabel Cury
Diagramação: Vivian Oliveira
Capa: Julia Masagão

CIP-BRASIL. CATALOGAÇÃO-NA-FONTE
SINDICATO NACIONAL DOS EDITORES DE LIVROS, RJ

M485c
Melo, Fábio de
Crer ou não crer: uma conversa sem rodeios entre um historiador ateu e um padre católico / Fábio de Melo, Leandro Karnal. - 1. ed. - São Paulo : Planeta, 2017.
192 p. ; 21 cm.

ISBN 978-85-422-1131-3

1. Espiritualidade. 2. Religião. I. Karnal, Leandro. II. Título.

17-44103

CDD: 248
CDU: 2-584

2017

EDITORA PLANETA DO BRASIL LTDA.
Rua Padre João Manuel, 100 – 21º andar
Edifício Horsa II – Cerqueira César
01411-000 – São Paulo – SP
www.planetadelivros.com.br
atendimento@editoraplaneta.com.br

Sumário

PREFÁCIO 7

PARTE 1. CRER OU NÃO CRER 13

PARTE 2. FÉ *VERSUS* CIÊNCIA 49

PARTE 3. QUAL É A IMPORTÂNCIA DA FÉ? E DE DEUS? 69

PARTE 4. A RELIGIÃO AJUDA OU ATRAPALHA? E A IGREJA? 77

PARTE 5. SE DEUS NÃO EXISTE, TUDO É PERMITIDO? 117

PARTE 6. TER FÉ FAZ FALTA? 135

PARTE 7. A MORTE: ESPERANÇAS E MEDOS NO HORIZONTE DO ATEU E DE PESSOAS DE FÉ 149

GLOSSÁRIO 169

NOMES CITADOS 179

Nota do editor: Ao final do livro, o leitor encontra um glossário com uma seleção de termos usados pelos autores e informações sobre os nomes citados.

PREFÁCIO

Assim seja!

Mario Sergio Cortella

> *"Perguntaram um dia a alguém se havia ateus verdadeiros. Você acredita, respondeu ele, que haja cristãos verdadeiros?"*
>
> Diderot, *Pensamentos filosóficos*

Um debate entre um padre católico e um historiador ateu sobre crer ou não crer? Há precedentes, mas este caso é absolutamente encantador, seja pela temática, seja pela inteligência militante da dupla em sereno e denso diálogo no qual, mais do que procurar provar quem está certo, há o desejo latente de provar que não deve haver desrespeito às crenças nas crenças nem às crenças nas descrenças.

Poderia ser um embate, um combate; contudo, tornou-se de fato um debate, no qual ambos, fundamentados, apresentam as razões das suas razões, isto é, os sentidos das suas crenças no crível e no incrível.

Há também momentos de alegria e humor sagaz, o que nos permite não perecer em tecnicismos conceituais nem em enfadonhos meneios intelectuais que servem mais para ostentar arrogante sapiência do que para exercer humilde paciência.

O modo como o debate termina é a expressão maior do prazer arguto e da ironia astuciosa de ambos. Ora, sabemos que a primeira grande obra no Ocidente a tratar das bases racionais para uma concepção que admita uma realidade que vá além da mera materialidade é a *Metafísica*, de Aristóteles.

Pois bem, qual é a última frase do Padre Fábio neste livro? "A quem não tem Deus, que tenha, pelo menos, Aristóteles." Conclusão de Karnal (e do debate): "Amém!".

Agudeza pura, de ambos! Padre Fábio reafirma suas convicções durante toda a conversa, isto é, a fé que carrega e partilha não é apoiada em delírios infundados; enquanto Karnal usa o *amém*, antiga fórmula de encerramento e concordância em muitos "atos religiosos", sem chancelar serem "fatos religiosos", o que é menos uma anuência e mais a reafirmação do que nos contou durante o debate sobre a apreciação que, como pesquisador da história e da arte, tem por ritos, mitos e liturgias.

A aclamação *amém* se origina de vocábulo hebraico que carrega a noção de *solidez*, de *consistência* e, portanto, indica que quem o diz concorda com a veracidade e firmeza do que antes veio, e é claro que Karnal aprova a recomendação do Padre Fábio. Afinal, ele diz logo no princípio da conversa: "Eu creio em Deus, mas creio humanamente". Ou: "Quando fui apresentado à fé sobrenatural ela me soou razoável. Um ser superior cuida de mim"; Karnal, por outro lado, conta: "Meu ateísmo não foi um fato ou uma decepção, mas um processo muito natural". Ou: "Fé é entrega e, para a entrega, deve existir uma disposição interior que eu não tenho mais".

Nem o sacerdote nem o historiador dizem amém a tudo!

Padre Fábio professa uma fé consciente, livre do que seria a mera superstição ou, até, da hipocrisia que pode criar um vale entre o proclamado e o vivido, marcada muito mais pela prática dos princípios originais da crença religiosa que protege do que somente pelo alardeamento dissimulado de prescrições eclesiais.

Karnal nos conta sobre o percurso que o conduziu ao ceticismo sem torná-lo avesso às inspirações que, por exemplo, o cristianismo comporta nos valores humanistas e fraternais; aliás, um momento estupendo do debate é quando ele acautela sobre o risco de se ser católico sem ser cristão e Padre Fábio destrincha as agruras e os desvios que essa possibilidade acarreta.

Padre Fábio não teme falar em Deus, não teme confirmar sua crença nem professar que é com esse Deus (e porque nEle crê) que faz seu percurso de vida; pessoa muito estudada, desnorteia os que acreditam ser a religião fruto da ignorância.

Karnal não teme declarar seu ateísmo e, menos ainda, colocar-se na postura de alguém que não é anticlerical ou rancoroso com a Igreja da qual fez parte e preparou-se quando jovem para trilhar o sacerdócio; também muito estudado, desnorteia os que acreditam ser o ateísmo fruto da ignorância.

Ganhamos bastante ao acompanhar as induções e deduções que ambos desenvolvem para sustentar suas condutas; é uma contenda impregnada de referências eruditas e relatos pessoais e que, ademais, fica envolvida em uma afetividade de quem deseja ser rigoroso no pensamento e opinião sem ferir quem discorde.

Padre Fábio é um "crente virtuoso"; Karnal é, como nomearam Diderot na sua época, um "ateu virtuoso". Por coincidência, lá pelo século XVIII o filósofo francês estudou com os jesuítas preparando-se para o sacerdócio (tal como ambos no nosso tempo), o que não o impediu de escrever em *Les Éleuthéromanes* o verso: "E suas mãos arrancarão as entranhas do padre/ na falta de uma corda para estrangular os reis".

Essa invectiva, usualmente traduzida como cerne do ideário libertário e ateísta, é com frequência atribuída como conceito original de Diderot ou, em outra variante, ao seu contemporâneo Voltaire; porém, Diderot está citando uma obra que teve exatamente Voltaire como seu primeiro editor, cuja autoria é de um padre ateu, anterior aos dois, e que confessa isso em seu livro de memórias publicado postumamente, *Memória dos pensamentos e sentimentos do Abade Jean Meslier*, com a frase: "Eu gostaria, e este será o último e o mais ardente dos meus desejos, eu gostaria que o último rei fosse estrangulado com as tripas do último padre".

Padre Meslier, pouco antes de morrer, em 1729, passou seus últimos anos construindo arrazoados contra a sua própria fé; no dizer dele mesmo, para demonstrar a "falsidade de todos os deuses e religiões do mundo". Essa foi a maneira de expiar seu arrependimento e amargura.

Ainda bem que Padre Fábio e Karnal não denotam arrependimento algum pelas crenças e descrenças que suportam; assumem com perspicácia aquilo em que creem e defendem com elegância aquilo de que descreem.

PARTE 1

Crer ou não crer

Leandro Karnal: Comecemos por um enfoque pessoal. O que levou você, Padre Fábio, a se tornar padre, uma forma radical de fé? Isso representa não apenas crer, mas transformar a vida, fazendo uma entrega completa.

Pe. Fábio de Melo: Eu tive poucas experiências sobrenaturais de Deus. É até interessante porque, num primeiro momento, quando as pessoas me olham como padre, podem pensar que eu experimentei Deus dessa forma. Foram escassas as experiências que me colocaram nesse contexto, fatos que aos meus olhos parecessem inexplicáveis, que não tivessem conexão com a realidade ou me solicitassem entrar no contexto da fé que marcou os personagens bíblicos. Minhas experiências mais ricas e determinantes com Deus foram no horizonte da história, no ardor das questões humanas.

Minha experiência humana de Deus fez com que minha crença partisse, perpassasse e retornasse ao humano. Talvez seja por isso que nunca tenha admitido compreender a fé sobrenatural desvinculada da fé natural. Eu creio em Deus, mas creio humanamente. Essa fé tem os vestígios da confiança humana que pude desfrutar. Sim, ela é um dom sobrenatural, a Igreja me diz, mas esse dom é mais bem vivido à medida que desfruto da proteção humana que me permite amadurecer, desfrutar de estabilidade afetiva, desenvolver vínculos de confiança.

A fé natural é absolutamente indispensável à vida cotidiana. A todo momento eu preciso crer. Creio que o padeiro não envenenou a massa do pão, que o taxista não jogará o carro da ponte. Só a partir dessa crença corriqueira e sem nenhuma transcendência a vida é suportável. Eu preciso acreditar nos bastidores que desconheço, mas que me sustentam. Há uma trama de pessoas construindo os avessos da minha vida. Eu não as vejo, ignoro seus rostos, seus nomes, suas histórias, mas involuntariamente confio nelas. A crença natural é fundamental para tolerarmos a existência humana.

Foi pensando assim que a minha fé em Deus alcançou profundidade. Quando fui apresentado à fé sobrenatural ela me soou razoável. Um ser superior cuida de mim. A teologia do cuidado, nada que humanamente eu não conhecesse de perto. Meu encontro com Deus foi marcado pela face misericordiosa de Jesus. Foi minha mãe quem me falou primeiro Dele. E sempre com exemplos humanos. Uma vez eu quebrei uma louça que ela guardava com muito carinho. Não pelo valor financeiro – sempre fomos muito pobres –, mas pelo valor emocional. Pertenceu à minha avó, que a deixou como herança. Ela não estava em casa, e quando retornou eu me escondi. Estava com medo. Minha irmã fez o papel de promotora.

Apressou-se em contar meu feito. Ela começou a me buscar pela casa e me encontrou debaixo do sofá. E então me disse: "Meu filho, a louça era preciosa para mim, mas você é muito mais. Não precisa sofrer por isso!". E no abraço morreu todo o mal que o medo havia provocado em mim. Aquela experiência de amor humano me ajudou a compreender o amor sobrenatural de Deus.

É interessante, mas olho para o meu passado e identifico muitas histórias em que o amor natural estabeleceu ponte com o sobrenatural. Para mim, acreditar em Deus sempre esteve muito associado ao que eu conseguia aprender com minha mãe. Nos seus gestos, mas também no que ela me dizia. Eu experimento uma fé herdada, materna, existencial. Bíblica, mas também profana; pura, mas também miscigenada nas crenças de outros; católica.

Hoje eu sou um homem que crê em Deus. É como você disse, de forma radical, por ser padre. Assumi a fé em Deus como ponto de partida para o ofício que exerço. Ao observar o resultado do que faço, sinto que sistematizei a fé simples que recebi de minha mãe com a fé conceitual que a teologia me proporcionou experimentar.

Não sinto que tenha havido uma purificação do conteúdo dado por minha mãe. Sigo com ele inalterado. Mas fui sistematizando a herança, misturando-a às formulações dogmáticas, descobrindo a minha originalidade. É assim que vejo hoje o radicalismo da minha entrega. Com uma fé sobrenatural toda perpassada de mãe, misericórdia, delicadeza que só uma mulher é capaz de ensinar.

Fui para o seminário muito cedo. Lá descobri que ser padre estava intimamente ligado à possibilidade de fazer com as pessoas o mesmo que minha mãe fizera comigo. Realizar ações humanas que ensinassem o sobrenatural. Curar o erro por meio de uma interpretação mais amorosa dele mesmo. E com um elemento a mais: apresentar às pessoas uma redenção definitiva, capaz de reorientar a compreensão da miséria humana, nunca permitindo que a fragilidade se torne um obstáculo à nossa realização. Foi por isso que desejei e ainda continuo desejando ser padre. Parti de motivos naturais. Não presenciei um acontecimento maravilhoso, Deus falando ao meu ouvido, como Ele fez com tantos na história bíblica. Foi uma escolha humana. Senti no íntimo uma identificação com o coração misericordioso de Jesus e quis ser padre porque acreditava nas possibilidades de ajudar as pessoas a serem melhores segundo esse coração.

Karnal: Em parte, isso explica a sedução pelo aspecto benéfico profissional do sacerdócio e pela fé em si que você está definindo muito humana. Não é uma fé no estilo de Samuel na Bíblia, que ouve o chamado no meio da noite;[1] não é uma visita extraordinária como a de Saulo a caminho de Damasco;[2] não é uma fé como a iluminação de Lutero, que decide se tornar religioso quando um raio cai aos seus pés e ele invoca Santa Ana. A sua fé parece muito encarnada nessa humanidade mineira, cotidiana. Mas a sua mãe teve essa fé, certamente alguns dos seus familiares também tiveram e não viraram padres ou freiras. Qual é o diferencial que fez com que a sua crença se

1. Cf. 1 Samuel 3.

2. Cf. Atos 9.

tornasse existencial a ponto de mudar toda a sua vida? O que o levou ao sacerdócio?

Padre Fábio: Não sei dizer ao certo. Talvez tenha sido o fato de ter crescido entre altares e andores. Minha rotina era alinhavada pelos ritos católicos. Sempre levado por minha mãe. Novenas, missas e procissões. Tudo era tão intenso que se desdobrava para minhas outras percepções do mundo. A religião era o filtro por onde eu via e sentia a vida. Costumo dizer que a tristeza tem cheiro de arruda e manjericão. Eram as ervas que adornavam as imagens de Nossa Senhora das Dores e do Senhor dos Passos. A Semana Santa era o ponto alto do ano. Vivíamos para esperá-la. Uma espera litúrgica que também era existencial. A figura do padre era central nas nossas vidas. E desde menino eu me via ali, parte daquele todo, mas sem nunca imaginar que a liturgia do tempo me colocaria nos braços da liturgia das horas. A percepção foi natural. Foi aquilo que pude ser em cada fase da minha vida. Não gosto de pensar no futuro. O que eu quero ser, o que eu quero fazer. Eu vivi cada momento desse processo religioso que me tornou padre no exercício de uma liberdade que me alforriava de pensar muito sobre o futuro. Eu me realizava no que estava vivendo e mergulhava profundamente, independentemente de qual seria o resultado. Fiquei padre assim, vivendo um dia de cada vez, vencendo o desafio de cada hora, e a satisfação de cada instante. Olho para o passado e me sinto reconciliado com ele. Gostei do tempo em que eu vivi em Lavras, em Minas Gerais, do que experimentei na dimensão intelectual e afetiva. Gostei dos amigos que fiz por lá, do colégio onde estudei, dos padres que conviveram comigo. Saindo dali fui para o postulantado, em Santa Catarina. De lá eu gostei um pouco menos, mas soube viver com muita resiliência a mudança cultural de um mineiro morando no Sul, onde tudo é muito mais frio, onde os afetos são menos naturais, e as pessoas demoram a gostar de você. O que me sustentou naquela época foi um trecho da carta que padre Mauricio Leão, nosso reitor em Lavras, me escreveu: "Urso-polar que não se adapta aos trópicos, morre sapecado". É uma frase que nunca esqueci.

Karnal: Deve ter sido uma diferença cultural significativa.

Padre Fábio: Sim, um novo mundo. A começar pelos sobrenomes impronunciáveis. Antes os meus amigos eram da Silva, dos Santos, de Oliveira. E de repente passei a conviver com os Schmidt, Perius, Vazel, Altenhofen... Tradições, sabores, costumes, sotaques, um novo mundo.

Imediatamente percebi que não se tratava somente de uma prosódia diferente. Estava diante do desafio de conviver com culturas distintas, idiossincrasias inéditas até então. Não foi fácil. Éramos dois grupos muito diferentes. Rio São Francisco desaguando no rio Guaíba. Mas com o tempo tudo se ajeitou e o remanso tornou-se um só.

Quando cheguei ao noviciado descobri o valor da quietude. Entendi que fazer silêncio é um pouco mais do que calar a voz. Consiste em criar condições para o florescimento da vida interior. Foi algo fundamental para eu suportar aquele ano de recolhimento, e também dar um passo na direção de uma fé que me permitia rituais de autoconhecimento. Mergulhei nos estudos, pude ler todos os livros que tinha vontade de ler, mas que a vida intensa do colégio não permitia. Depois, a filosofia. Foi uma paixão à primeira vista. Com a teologia, a mesma coisa. E de repente eu me tornei padre. Tinha chegado a hora de praticar o que eu já tinha aprendido na teoria. Foram dezesseis anos de estudos. Fui ordenado e acolhi sem medo o desafio de ser padre. Fui enviado para Belo Horizonte para fazer mestrado com os jesuítas. Com eles, entendi que havia uma forma muito interessante de ser padre. Um ministério exercido a partir do conhecimento, ressaltando sempre a dimensão existencial da teologia, um saber sobre Deus que se mistura num saber sobre os humanos. Com distinções, mas também com convergências. Uma teologia encarnada, bíblica, cotidiana, poética. Padre Ulpiano Vásquez, meu amigo e orientador, foi uma grande inspiração naquele tempo.

Sim, você tem razão. Minha crença é humana. Deus me fascina com o ordinário da vida. Sob a influência de Padre Ulpiano eu conheci a literatura mística da poeta Adélia Prado. Foi uma grande descoberta. Sua obra fortaleceu em mim a convicção de que Deus tem predileção pela rotina. Aos olhos do que crê, as epifanias são diárias, constantes, naturais. Ao ler Adélia eu me desobriguei de crer no Deus do impossível. Não que Ele não seja, mas entendi que minha intuição não resultava em desilusão. Minha fé desde menino nunca me colocou na busca de grandes milagres. Não precisei deles para crer no sobrenatural. Eu sempre confiei na proteção divina, mas nunca deixei de olhar para os dois lados antes de atravessar a rua. Crer em Deus é razoável, pois me coloca sob uma proteção que não me dispensa de fazer a parte que me cabe. Com os jesuítas eu solidifiquei essa convicção. O mestrado em Belo Horizonte foi uma chave hermenêutica para que eu pudesse entender minha história de fé.

Para mim, sempre foi muito natural perceber a interferência de Deus na minha atuação. Deus encarnado em mim, Deus no meu esclarecimento, no meu entendimento. Aliás, toda vez que eu encontro um ser humano esclarecido, capaz de compreender o seu papel na história, um ser humano amoroso, justo, verdadeiro, intrinsecamente comprometido com a ordem do mundo, ali eu encontro Deus revelado. A crença em Deus deveria naturalmente resultar em realização humana. A fé professada e absolutamente comprometida, desdobrada em ética, civilidade, bom senso. O mestrado confirmou a minha intuição. Entre os jesuítas não vi um pieguismo infértil. Com eles, eu experimentei uma reflexão sobre Deus que nunca dispensava a carne dos fatos: uma teologia perpassada de beleza e comprometimento. Uma teologia que me colocava dentro de uma proposta acadêmica na qual eu não precisava abrir mão da minha inteligência para me tornar um líder religioso.

Por incrível que pareça, acho que, já sendo padre, fazendo um mestrado com os jesuítas é que eu descobri como gostaria de ser padre. Não me recordo de em algum momento na minha pregação ter feito apologia a esse Deus do impossível. Sempre me soou desconfortável, como se estivesse mentindo para as pessoas. Mas ao entender que o milagre se dá por duas vias, divina e humana, eu me encorajei ao processo de desconstrução que nos coloca diante da crueza da vida. Não estamos sós, mas a crueza não se dissipa só porque cremos. Há fatos que não poderão ser alterados, sofrimentos que não poderão ser evitados. Mas Deus me sustenta. Minha fé não pode me colocar sob a ilusão de que Deus viverá por mim o que a mim cabe viver. Ela me fará perceber a Sua presença me sustentando, e só. Essa desolação que nos ocorre quando abandonamos a infantilidade em relação à fé é muito saudável. É a partir dela que passamos a conhecer o verdadeiro papel de Deus em nossa vida. Como dizia Santo Agostinho, um Deus que me ama para que eu possa amar, que me encoraja para que eu tenha coragem. Um Deus que me antecede em tudo na minha essência e que depois me dá condições de fazer o mesmo com os outros.

Quando a espiritualidade nos proporciona o conhecimento de nossas forças humanas, estamos, de fato, sendo movidos pelo Sagrado. Somos o lugar onde Deus ressoa. Sua ação em nós consiste em nos fazer agir. Ele está antes de todo movimento humano, como um alicerce antecedendo e permitindo o equilíbrio das paredes. Ele é antes de nós, em nós, misteriosamente em nós. Sob sua graça vivemos. É ela que sustenta, mas sem nunca dispensar o nosso empenho. É crendo assim que sou padre. Não saberia ser de outro modo. Agradeço diariamente à honestidade que me permitiu chegar ao coração de tantas pessoas, que também se sentiram aliviadas ao serem apresentadas ao Deus que conheci.

Eu não precisei inventar uma forma de crer em Deus. Apenas acessei o tesouro da fé acompanhado de pessoas muito sensatas. Vejo em minha mãe o ruir natural dos equívocos alimentados pela crença sem critérios no Deus do impossível. Mas eu tenho observado que ela já se desiludiu.

Karnal: Como ela se desiludiu?

Padre Fábio: Ela chegou à conclusão de que o agir de Deus esbarra nos limites que a Ele colocamos. Há coisas que Deus não pode alterar. São resultados da vida, das escolhas que fazemos. O que Dele podemos esperar é que nos ajude a administrar da melhor forma o resultado. Assim a percebo desiludida, mas uma boa desilusão. É um deslocamento desconfortável, mas necessário, para a maturidade da fé. É o êxodo a ser vivido: das ilusões às esperanças. Uma travessia que ela faz diariamente, adaptando-se a este mundo que Deus não pode mudar. Ela continua sendo fervorosa. Continua pedindo, acreditando, fazendo novenas, mas percebo que a desilusão da maturidade já se estabeleceu. E então Deus reassume o direito de ser quem realmente é, e não quem ela gostaria que Ele fosse. Às vezes eu observo a maneira como as pessoas rezam. Chego à conclusão de que não há transcendência naquela relação. Para muitos a oração parece ser uma oportunidade de esclarecer a Deus o que Ele não é capaz de esclarecer sozinho. Rezamos como se estivéssemos dando ordens. Queremos determinar o agir de Deus, como se Ele não soubesse o que precisa ser feito. É uma inversão de ordem. Nós somos sábios, conscientes de toda realidade, pedindo que Deus faça o que julgamos achar ser o melhor a ser feito. Não me adapto a essa religiosidade. Eu prefiro fazer da minha oração uma oportunidade de confiar a Deus as minhas necessidades. Há muito tempo preferi assumir essa postura. Sempre que eu me colocava diante de Deus como um pedinte, era natural que eu pedisse a Ele o que eu mais queria. Mas nem sempre o meu querer corresponde à minha necessidade. O meu querer está à flor da pele, ao passo que minhas necessidades são mais profundas. Eu sei o que quero, mas nem sempre sei o que necessito. Se diante Dele me coloco como um necessitado, sinto-me mais honesto no reconhecimento de minha incapacidade de saber o que devo pedir. E então eu assumo o papel de filho que não sabe o que pedir. Mas Ele sabe o que necessito. Minha fé não me permite desrespeitar a fronteira. Ele é Deus. Quando insisto em dizer a Ele o que deve ser feito, alimento, ainda que inconscientemente, uma desproteção. Preciso dizer, comandar, fiscalizar, recordar, esclarecer. Deixa de ser fé, passa a ser projeção, pretensão de ser deus de Deus. Fazemos tudo isso de maneira muito cândida, com as vozes em meio-tom, simulando resignação, submissão, humildade. Mas na verdade nossas orações podem ser expressão de um "neopaganismo", uma vez que o ser humano assume o centro da relação, ficando Deus à margem. Compreendo que essa forma equivocada de oração venha de nossa dificuldade em lidar com nossas limitações. Somos humanos, somos insuficientes. Mas não queremos ser. Diante dos limites há muitas formas de reagir. Uma religiosidade fecunda pode nos ajudar muito na lida com esses limites. A fé em Deus nos redime diariamente nos fornecendo instrumentos de superação. A fé nos reconcilia com os limites, ensinando-nos a confiança em Sua proteção. Uma proteção que se expressa no cuidado que aprendemos a ter. Sim, o limite me motiva ao cuidado. Mas uma religiosidade rasa, desprovida de mística, pode nos levar a fugir dos limites. Como? Colocando sobre Deus a responsabilidade de fazer por nós o que nunca deveria ter saído de nossa alçada. Para muitos a religião funciona como manutenção da imaturidade. O favorecimento de um viver à margem, sempre justificando a inércia, adotando o vitimismo como forma de explicar os insucessos. Nessa perspectiva o limite se impõe. E a oração passa a ser uma forma de fuga. Deus é colocado como instância que funciona a partir de nossas determinações. O que você pensa sobre isso?

Karnal: É interessante porque o que você está descrevendo vem, em parte, do catolicismo cultural português. Eu distingo esse catolicismo no Brasil, diferente das regiões de imigração do norte da Europa, como da que eu vim, onde a religiosidade tem outro sentido. Em Minas Gerais, onde essa religiosidade portuguesa cultural é muito diluída, vemos mulheres falando com a Virgem como se fossem comadres. É uma intimidade com o Sagrado que resulta em algo quase que único no catolicismo brasileiro: punir imagens de santos. É afogar Santo Antônio, congelar a estátua, tirar o Menino Jesus de seu colo...

Padre Fábio: Puni-lo.

Karnal: Puni-lo. Como você disse, é uma fé que é quase um paganismo. Mas você coloca uma religiosidade diluída no material, uma religiosidade um pouco spinoziana, fundindo corpo e alma. Uma religiosidade de um Deus muito menos metafísico do que o normal, um Deus menos absurdo, menos distante dessa imagem polar, que seria, por exemplo, o Deus da tradição judaica, que é quase um ser inatingível, sem nome possível e sem forma cognoscível. Você traz essa proximidade intimista com Deus e ao mesmo tempo com esse traço um pouco jansenista – de o homem ser insuficiente.

Ouvindo você, às vezes parece que sua fala roça em diversas heresias. Ela toca levemente no jansenismo. Mas você também se refere ao quietismo, ao alumbramento, ao silêncio do noviciado. Esta é uma questão curiosa porque esse Deus tão diluído pode vir também através do estudo, dessa sua formação. Acho que isso deve ter provocado muita reação dentro da sua congregação e das comunidades religiosas. Porque é uma liberdade diante da instituição e uma relação um pouco protestante com Deus, muito pessoal, direta, pouco intermediada.

Padre Fábio: São dois modelos de religião: as religiões proféticas – o cristianismo, o islamismo, o judaísmo – e as religiões místicas – o taoismo, o hinduísmo e o budismo, que para muitos não é religião, mas que se caracteriza por favorecer uma busca humana que se desdobra naturalmente em questões espirituais.

Karnal: Dentro da tradição oriental, temos o xintoísmo também.

Padre Fábio: Exato. Nessas grandes religiões, dentro dessa visão profética, é preciso haver muitas mediações para se ter acesso a Deus. E dentro dessa visão mais mística, não. Eu acredito que o encontro de Jesus com a samaritana[3] me coloca no direito de pensar assim.

3. Cf. Jó 4,1-29.

Porque ali há uma inédita valorização do espaço humano, em detrimento de uma relativização do espaço geográfico do Sagrado.

Karnal: Para quem não lembra, uma samaritana está junto ao poço e Jesus fala de sede da Palavra de Deus e ela interpreta como sede física. Lembrando que os samaritanos não eram considerados parte da comunidade judaica mais tradicional.

Padre Fábio: Isso! Mas não mais nesse poço, e também não será mais naquele templo. Vai chegar o dia em que o acesso chegará a todo aquele que honestamente o procurar em espírito e em verdade. Acredito que sou filho dessa convicção e, talvez por esse motivo, tenha sobrevivido dentro da Igreja. Ainda que eu beire, como você mesmo disse, algumas heresias e não tenha medo de...

Karnal: Você beira essas heresias, você só não cai nelas...

Padre Fábio: Eu não tenho medo de fazer esse discurso onde quer que eu esteja. Já o fiz diante de um cardeal em Israel. Naquele dia, o Cardeal Dom Cláudio Hummes estava sentado na minha assembleia... Ele me ouviu dizer tudo isso e não pediu a minha cabeça ao final do discurso. Falei justamente sobre um dos grandes desafios do cristianismo hoje, que é manter uma fé que seja razoável. Creditar a uma medalha o poder de proteção precisa de contexto. Caso contrário, descambamos no absurdo. Desvincular o aspecto simbólico da medalha das convicções a que ela se refere, derramar sobre ela uma aura misteriosa que não tenha conexão com o Evangelho é retomar o paganismo. Um símbolo só tem sentido quando nos faz chegar a algo. É por isso que toda devoção precisa ser vivida como ponte para se chegar à vivência dos ensinamentos de Jesus. Se não há uma ligação responsável dos símbolos devocionais com a mentalidade cristã, a prática religiosa passa a ser pagã. Desvinculada da proposta de ser transformadora da mentalidade, a religião deixa de se referenciar na história, passando a ser um lugar de cultos que favorecem a alienação. Veja bem, nós estamos falando justamente do contexto que Jesus condenou. Dos ídolos, das devoções vazias, dos costumes religiosos que eram naturalmente pagãos. Eu me sinto confortável dentro dessa postura. Por meio dela eu reivindico o direito de ser e pensar como o meu fundador. Jesus é o divisor de águas. Nele temos a hermenêutica da transcendência, a interpretação que nos coloca diante de um Deus que não se prende ao

"Parece que Deus fala exatamente o que as pessoas querem ouvir... E o mesmo fazem seus emissários, seus santos, suas entidades, seus orixás, seus gurus. Falam tão exatamente o que as pessoas querem ouvir que é lícito eu supor que são as pessoas que fazem Iemanjá falar, o demônio, Jesus, Nossa Senhora de Fátima..."
Karnal

"Tenho dificuldades em acreditar em um Deus que negocie favores. E o pior, favores que são concedidos mediante exigências sádicas. Alguém promete que atravessará uma passarela de joelhos para que Deus lhe conceda um favor. Há um equívoco por trás dessa compreensão."
Padre Fábio

exterior dos ritos, mas que privilegia o resultado dos ritos no coração humano. Se a religiosidade não me conceder o caráter cristão, ela foi em vão. Precisamos levar a sério os motivos pelos quais Ele morreu. Motivos religiosos, políticos. Mas não nos esqueçamos, Ele morreu, sobretudo, porque ousou contradizer o discurso religioso de Seu tempo. O fator religioso contou bem mais que o político.

Jesus abriu-nos o santo dos santos. O lugar que só era aberto uma vez por ano ao sumo sacerdote, metaforicamente, foi aberto a todos nós. Um Deus à espera de todos, acessível na sala de estar do coração humano. Ele não desmereceu a mediação religiosa feita pelos sacerdotes, mas fez questão de ensinar que também podemos fazer sem eles. A mediação pode nos permitir acesso a lugares que sozinhos nós não alcançamos. E esses acessos, à medida que o tempo vai passando, nós vamos descobrindo quais são. E então podemos fazê-los por nós mesmos. Algumas mediações serão necessárias a vida inteira. A Eucaristia, por exemplo. O sacerdote conduz o povo ao cerne do encontro. Mas depois da mediação há um caminho que fazemos sozinhos. Nós e a Eucaristia. Dessa relação nascem os frutos, ou não. Outra mediação é o conhecimento. O aluno necessita do mestre. Mas o conhecimento faz com que a necessidade da mediação vá diminuindo. Na experiência religiosa não é diferente. Todos os ramos do conhecimento podem nos auxiliar no crescimento espiritual, porque nos proporcionam tocar o mistério humano. Nunca deixei de trazer comigo os bons livros que li. Meu discurso religioso carece das experiências humanas para tornar-se palatável. A literatura é um campo vasto para se ter contato com essas experiências humanas. Portanto, não posso abrir mão das artes, da literatura, das ciências para ser padre. Preciso tocar as paixões humanas para fazer o que faço. Já fui muito criticado por isso. Acusam-me de ser mundano demais. Não me importo. Eu também levei tempo para compreender meu jeito de ser padre. E hoje me sinto mais livre para ser como sou. A vida é assim. Um dia ficamos angustiados com as questões, mas outro dia a gente acaba rindo delas. Beiro as heresias diariamente, minha honestidade intelectual me permite reconhecer. Mas, como quero continuar pertencendo, prefiro me calar sobre alguns aspectos. Não farei um discurso que me soe incoerente. Prefiro me ater aos aspectos da fé que para mim fazem sentido. Aspectos que me ajudem a viver, ser um homem melhor. Crer em Deus é razoável. Eu me recuso a ser um propagador de devoções que idiotizem, alienem, que privem as pessoas de chegar ao essencial do cristianismo. Há padres que não se incomodam em fazê-lo. E não me sinto no direito de julgá-los. Mas reconheço que não quero essa postura. Deus não está preso ao que fazemos. Não desconsidero que, em muitas devoções, aos meus olhos sem sentido, Deus possa transformar uma pessoa, torná-la melhor. Continuo atuando onde e como posso. Lidar com as instituições será sempre um desafio. A Igreja como um todo, as dioceses, as congregações religiosas. Todo padre precisa lidar diariamente com elas, conciliando seu jeito de ser com aquilo que elas esperam que ele seja. Meu grande intento é abrir as consciências para essa fé encarnada, proposta pelo Cristo. É uma responsabilidade que reconheço minha. Encaro-a com muita satisfação. E não pretendo me calar, ou ceder aos que me querem diferente. Eu prefiro enfrentar os contestadores. Tenho o conforto de saber que Jesus foi contestado por questões semelhantes.

Karnal: Se você se calar, as pedras falarão.[4]

Padre Fábio: É... falarão.

Karnal: Eu acho que os fundadores, você se referiu ora a Jesus, que é o nome histórico, ora ao título teológico, o Cristo; são duas coisas distintas.

Padre Fábio: Complementares.

Karnal: Complementares e distintas. O guru Nanak, o primeiro dos gurus sikhs e fundador do siquismo, também tinha um comportamento de denúncia em relação a esse eterno farisaísmo. Como, por exemplo, quando ele questiona por que numa das margens do rio Ganges não se pode adorar a Deus, e a outra é sagrada. Ele perguntou: Onde está Deus? Em toda parte. Então como ele pode estar só em uma das margens (risos)? Os sikhs são os protestantes do hinduísmo. O mesmo processo ocorreu com a figura de Jesus. Ele é uma espécie de reformador do judaísmo, ou pelo menos um profeta do judaísmo, denunciando a aparência, o culto, a apropriação do Sagrado por um grupo, ou seja, dos ricos saduceus, ou dos hipócritas fariseus. As parábolas de Lucas 15 insistem no ponto de a fé ser uma adesão existencial e não formal, que a lei foi superada ou ampliada pela misericórdia e pelo amor. É o caso claro do filho pródigo, que legalmente pode ser rejeitado, mas o pai o acolhe. São as parábolas da graça, do perdão, que acho interessantíssimas. Elas ajudam a entender a sua trajetória, esse tipo de apropriação da fé.

4. Cf. Lucas 19,40.

Quer dizer, a apropriação no sentido positivo. Como você construiu a sua visão de mundo religioso e como dialogou com as visões tradicionais da sua família e foi jogando sobre ela estudo, refinamento, sem perder esse traço original de uma fé existencial. De uma fé...

Padre Fábio: Barroca, cheia de contradições...

Karnal: Barroca, mas que não depende da simbologia como a barroca.

Padre Fábio: Claro, claro...

Karnal: Ou seja, quando você diz que as instituições não o calam, é uma fé que reconhece uma ligação direta com Deus, e considera que as instituições ajudam ou não nessa ligação. Mas, se elas atrapalharem, o que importa é o carisma do fundador, e não a opinião dos acionistas. O chamado à profecia e a intuição do Espírito Santo são parte do cristianismo.

Padre Fábio: Com certeza.

Karnal: Ou, de forma mais vulgar, como alguém já disse no meu grupo, "Jesus é legal, o que 'ferra' é o fã-clube". Deus é uma coisa ótima, mas...

Padre Fábio: Você tocou numa das grandes dificuldades que eu enfrento. A linguagem. Quando eu preciso falar sobre a eternidade, eu o faço a partir de uma linguagem situada no tempo e no espaço. Então, já saio prejudicado no início. Para aquilo que eu penso e falo, já existe uma perda considerável...

Karnal: Diz a tradição que Tomás de Aquino teve uma visão direta de Jesus e, depois, não quis escrever mais nada.

Padre Fábio: Pois é.

Karnal: Ele considerou o que produziu tão pífio comparado com o que experimentara misticamente...

Padre Fábio: Sim, um limite intransponível. Quando eu preciso fazer um discurso sobre as realidades finais, por exemplo, céu, inferno e purgatório, eu tenho que situar as realidades no tempo e no espaço. Ao fazer isso, limito o que pretendo refletir. Sendo assim, meu discurso pode privar o outro de ter acesso à verdade. Se eu faço loteamento da eternidade, dizendo aqui é o céu, aqui é o inferno, aqui é o purgatório, eu já racionalizei a fé. Eu empobreço o que é naturalmente rico. Moltmann é um teólogo que resolveu bem o conflito da linguagem escatológica. Para não esvaziar a riqueza da proposta, com a tentativa de racionalizá-la, ele sugere que sobre a eternidade não é possível dizer muito. E então ele põe no centro da reflexão o conceito de esperança, e a ela acrescenta "operante". Esperança operante. A vida cristã é uma dinâmica. Opera aquele que espera. Um viver que constrói a eternidade. Aqui e depois. A vida histórica atada à vida eterna. Um viver comprometido com aquilo que se espera. Um viver em evolução. Trabalhamos enquanto esperamos. É como receber uma visita. Sabemos que a visita vai chegar, mas nossa espera não é inerte. Nós preparamos o ambiente que será oferecido à visita. A espera pela eternidade como uma oportunidade para evoluir. A espera como instrumento para deslocamentos que nunca terminam. Espera como aperfeiçoamento humano. É só olhar para o século passado. Nós estávamos justificados enquanto escravizávamos as pessoas. Evoluímos para compreender que isso não é justo. Com esse esclarecimento, de alguma forma já derramamos eternidade sobre a história. Uma mudança que trouxe vida a muitas pessoas. Nunca dissocio a vida espiritual da evolução humana. São caminhos que seguem juntos. Há tanto a evoluir, há tanto a avançar. Pode ser que daqui a algum tempo cheguemos à conclusão de que estávamos errados em matar e comer os animais, não sei. O fato é que precisamos pensar nessa preparação para a eternidade como uma melhoria do humano. A espera operante é a dinâmica da evolução.

Mas nem sempre tenho um Moltmann como ponto de partida. Se me falta esse amparo conceitual que reconciliou a sensatez com a fé, incorro no risco de me portar como um idiota. Há alguns aspectos da fé que não aceitam a racionalização. Então, eu tenho muito mais oportunidade de confundir do que de esclarecer. São aspectos incompatíveis com as palavras. É como eu querer descrever o que significa, para mim, amar alguém.

Em que momento do processo se tornou obrigatório definir o que é mistério? Por que a fé não aceita o silêncio? É uma característica do Ocidente? Não é mais interessante aceitarmos que sobre isso nós não temos o que dizer, mas apenas esperar? Não há necessidade de falar, especular, fazer pregações. Seria mais honesto ensinar a reverência, a contemplação. Quando me ponho a falar sobre o mistério, abro a possibilidade de colocar um obstáculo entre a fé e a minha inteligência. E então passo a viver uma fé que não é fé, porque, em última instância, está desmoralizada pelo meu bom senso.

Karnal: Eu acho que existe uma coerência entre o que você faz e o que está dizendo. É o que acontece quando você opta por cantar, escrever livros, que em vez de apologética, você decide traduzir de forma afetiva a experiência, essa prática, e não a teoria, e a especulação teológica. É quase como dizer: o que é Deus pra você? Deus é aquele que, como o rei Davi, me faz cantar e dançar.

Padre Fábio: Sim, cantei muito uma música quando criança que dizia isso: "Quando o Espírito de Deus se move em mim eu canto como o rei Davi!".

Karnal: Você tem uma experiência carismática, ou seja, de vida no Espírito Santo, inclinando sua espiritualidade para as pessoas também. Para evitar a base do farisaísmo: eu me relaciono com Deus, mas oprimo o próximo. Que é essa coisa que a gente brinca com o Rousseau, que amava a humanidade, mas odiava o próximo. Rousseau amava a humanidade, mas nutria um ódio por pessoas concretas, pelos filhos que havia gerado, pelos colegas iluministas.

Padre Fábio: Era especialista em teorizar sobre o amor, mas não sabia vivenciá-lo.

Karnal: Dizia que a gente tinha que amar as crianças e abandonou todos os filhos que teve (risos). Ame as crianças dos outros. Mas eu acho que existe coerência nisso. Ouvindo a sua fala, me dá a sensação de que você encontrou Deus na história e na biografia. Ou seja, Deus na sua existência de Formiga, em Minas, a Taubaté, e na sua biografia. Deus na história, quer dizer, um Deus dos jesuítas, um Deus ao longo da jornada.

Padre Fábio: No calor da história, como eu gosto de dizer. No conhecimento, na arte.

Karnal: Um grande autor da teologia da esperança, de quem fui amigo, era o Rubem Alves, cujo doutorado em teologia calvinista foi sobre a esperança. Então eu acho que é um Deus diluído na história, que, para mim, é quase o oposto. É onde esbarrei no meu ceticismo. É um Deus tão diluído na história que o meu Deus é história. Se diluímos Deus na História, fica difícil separar História de Deus. A esperança se desloca para a ação humana.

Padre Fábio: Como surgiu o seu ceticismo?

Karnal: Assim como você, venho de uma família religiosa, mas com um diferencial: somos do Sul, minha mãe é de origem luterana e meu pai era de origem católica ultramontana. Meu pai era um católico intelectual, tradutor de latim bíblico, leitor da vulgata, apologeta, advogado e muito culto em questões religiosas. Minha mãe foi obrigada a se converter para casar. Teve que assinar uma abjuração da "heresia luterana". Em 1959, o Vaticano ainda não pressupunha a união de pessoas de religiões diferentes. O batizado não era válido se não fosse católico. Hoje todos os batizados trinitários são válidos.

Fui educado em um ambiente de colégio franciscano, muito identificado com as práticas piedosas, como eu sempre escrevi ao falar da minha vida. Eu consegui ser um excelente católico; a minha dificuldade foi ser cristão. Eu era um católico exemplar no conhecimento, nas práticas, nas devoções. Como eu me formei em música, tocava órgão em igreja e fazia parte do coro. Fui um especialista em liturgia. Sabia o momento e o tom de dizer a "Luz de Cristo" três vezes na entrada do Sábado de Aleluia. E reclamava de quem entoasse mal o canto gregoriano. A formalidade dos ritos, a pompa e a circunstância, as práticas devocionais, o rosário, a Via-Sacra, as imagens de santos: tudo era muito aderente ao meu ser. Não era falso. Era formal. Havia coisas sensíveis e belas: tocar "Panis angelicus" no fim da tarde na capela do colégio e ver a luz colorida entrando através dos vitrais e banhando o ambiente em tons azulados era como eu entendia Deus, pela estética e pela segurança.

Padre Fábio: Compreendo.

Karnal: Mas eu era um péssimo cristão. Dos irmãos, creio, eu era o mais seco, mais crítico, mais agressivo. Essa vivência católica foi muito positiva para mim. Vivi em um colégio religioso com retiros, procissões, confissões e missas. Entrei em uma universidade jesuítica (Unisinos) e acabei indo para o noviciado da Companhia de Jesus. Era a vontade de sempre fazer mais e com rigor, dedicar muito a alguma coisa, algo que sempre me marcou. Eu não sei se é pertinácia, se é objetividade ou se é só vaidade, mas quero sempre fazer as coisas com intensidade. Assim, estudei línguas; assim, estudei música... Fui para a Companhia de Jesus e tive excelentes professores. Quase todos ótimas pessoas...

Padre Fábio: Quase todos...

Karnal: Quase todos, era como na universidade onde atuo hoje, a Unicamp, há pessoas bem variadas. O fato de ter um pai que mata uma filha não me faz duvidar da paternidade. O fato de ter havido um ou outro jesuíta que conheci e que não era exatamente uma pessoa boa também não me faz duvidar nem da Igreja, nem da Companhia de Jesus. Há um padre de quem eu sempre me lembro quando tenho que pensar em uma pessoa difícil que encontrei na vida. Mas quase todos eram grandes professores, muito dedicados. As pessoas me perguntam sobre baixarias, escândalos sexuais. Eu não tenho nenhuma experiência disso. Ou não aconteceu, ou eu nunca ouvi falar. O meu ceticismo não nasceu da experiência biográfica na Igreja, mas apesar dela. A experiência foi muito boa. O ceticismo foi emergindo porque fui esbarrando nessa experiência muito subjetiva e complexa. Onde você encontrou Deus, eu me desencontrei Dele. No cotidiano, passei a não achar mais que tem alguém do outro lado. O silêncio metafísico foi estrondoso. Não se tratava da "secura espiritual" que afligiu Santa Teresa d'Ávila, São João da Cruz ou Santa Teresinha do Menino Jesus.

Padre Fábio: Houve algum acontecimento que justificasse essa ruptura?

Karnal: Eu me lembro de alguns momentos muito curiosos. Foi em uma Semana Santa. Fiz a tradicional confissão preparatória da Páscoa, uma obrigação para os católicos. Confessei-me com o Padre Bernardo, religioso venerando e bondoso. Ele era um homem como o Cura D'Ars, ficava horas no confessionário. Pela primeira vez, contei para ele um pecado de verdade. O Padre Bernardo se assustou. Ele aumentou muito a penitência, que antes era sempre uns três pai-nossos, e deu rosários e rosários. Na noite da Quinta-Feira Santa há sempre uma adoração ao Santíssimo, que ficava exposto em um altar lateral da igreja. Pela primeira vez, naquela noite, diante do Santíssimo exposto, pareceu a mim que não havia nada do outro lado. Nada! Foi o contrário de Saulo a caminho de Damasco: silêncio e vazio, sem vozes. Passei a noite diante da hóstia, tomado pela ideia de estar sozinho, de não existir, de fato, algo do outro lado. Estaria eu num monólogo, sem alguém me ouvindo? Essa dúvida foi afastada com energia na Sexta-Feira Santa.

Padre Fábio: Como convém ao bom católico.

Karnal: Exatamente. Na Sexta-feira Santa houve Via-Sacra, procissão do Senhor morto. Onde antes eu via uma estátua simbólica de Jesus tendo dado a vida por mim, agora eu percebia uma imagem com efeitos plásticos de reforço da dor para comover fiéis. As coisas começaram a perder seu simbolismo teológico e viraram só coisas. Isso me incomodava cada vez mais. No sábado, teve aquela cerimônia interminável de Sábado de Aleluia...

Padre Fábio: Uma liturgia mais longa que as convencionais.

Karnal: Sim. No Domingo de Páscoa, tomei a comunhão pela última vez na minha vida. O germe do ceticismo foi crescendo a partir daquela Páscoa. E se não tiver ninguém do outro lado? Que evidências eu tenho de que há algo? Essa intuição é suficiente para eu orientar a minha vida? Depois dessa intuição, comecei a ler autores céticos. Lancei-me a anticlericais como Voltaire, Eça de Queiroz; depois a teóricos do ateísmo, como D'Holbach, D'Alembert, Hume, Feuerbach... Encontrei bons argumentos, mas não foram eles que me levaram ao ateísmo, eles vieram depois da dúvida. Há grandes autores ateus, por exemplo os mais recentes Mario Bunge, Christopher Hitchens e Richard Dawkins. Assim como entre autores religiosos que li ao longo de toda a vida, há bons e ruins. Como dizem, alguns teóricos ateus são catequistas de vetor contrário (risos), eles são chatos porque querem converter a uma fé. Como diz um famoso católico inglês, Chesterton, quem deixa de acreditar em Deus passa a acreditar em qualquer coisa. (risos)

Padre Fábio: Chesterton fala que quem não acredita em Deus não quer dizer que não acredita em nada, porque começa a acreditar em tudo...

Karnal: Fui aprofundando a posição nos últimos trinta anos. O Leandro foi se afastando de uma crença metafísica e o professor Leandro Karnal continuou muito simpático à ideia da Igreja, à história da Igreja, à teologia, temas aos quais tenho até hoje imenso prazer em me dedicar. Não há nenhuma decepção com a instituição, não maior do que a que eu tenho com tudo. Quando passei por risco de morte, fiquei curioso se eu apelaria a uma oração, como numa aterrissagem forçada na África. Não aconteceu. Quando vi meu pai num caixão, também imaginei que seria um momento no qual a fé poderia tentar voltar, como memória daquele homem tão católico que eu amava. Não rezei e tive a certeza de que ali se acabava tudo. Meu pai existiria apenas em fotos e na lembrança do bem que fez. Mas, insisto, não foram pessoas ou atos que me afastaram da ideia de um Deus criador. Todo o sistema teológico e explicativo da religião foi parecendo ofensivo à razão e incapaz de se sustentar. No trabalho de historiador, a Igreja continuava fascinante para mim. Temos em comum esse processo, Padre Fábio: assim como sua vocação não foi uma epifania de um momento, meu ateísmo não foi um fato ou uma decepção, mas um processo muito natural.

Padre Fábio: Claro.

Karnal: Na Igreja, há papas melhores e piores, há teólogos melhores e piores, há pessoas variadas, mas não foi isso que me afastou. Eu continuo muito clerical, mesmo não acreditando. Fé é uma entrega. Para muitas pessoas é um hábito: sempre foram à igreja. Para outras é um conforto. Para alguns é uma profissão. Porém, fé é entrega e, para a entrega, deve existir uma disposição interior que eu não tenho mais.

Padre Fábio: Sua honestidade está me fazendo pensar sobre o perigo de ser católico sem ser cristão. São realidades distintas, você tem razão. Sobretudo na sua abordagem. O ser católico a que você se refere diz respeito à prática dos rituais e ao conhecimento da catequese. E isso você tinha. Mas faltava a você o cristianismo. Podemos ficar numa das instâncias sem nunca chegar à outra. E compreendo seu desencanto. Ao reconhecer-se excessivamente católico, mas não cristão, você tocou a descrença que nunca é flagrada pelo outro. As roupagens católicas poderiam até escondê-lo dos outros, mas não de si. É assim que também experimento. Se não percebo uma coerência entre os rituais que celebro e a mentalidade que me move, é natural que eu perca o encantamento.

Acredito que muitos padres e líderes religiosos vivem o mesmo conflito que você viveu, mas não o encaram com a honestidade com que você o enfrentou, porque eles não deixam de ser católicos, celebram missas, realizam os sacramentos... E também muitas pessoas que são fiéis às igrejas que pertencem honram as regras institucionais, participam dos ritos, mas há muito deixaram de ser cristãs. Só que não se encorajam para poder dizer isso a si e aos outros.

Karnal: E não tem nenhum milagre de Lanciano, quer dizer, não para eles... Em Lanciano, na Itália, no século VII, um padre duvidou da presença de Cristo na Eucaristia e a hóstia se transformou em carne, carne do coração, e o vinho em sangue.

Padre Fábio: É interessante você dizer que não há nenhum rancor com a instituição. A mesma desilusão que você teve lá, também vive nas outras esferas da sociedade. Eu acredito que talvez esse seja o processo de muitas pessoas, que por um excesso de instituição e uma escassez de mística, acabam experimentando uma descrença não confessa, um ateísmo prático nunca assumido, uma vez que a religião não transforma a vida.

Karnal: Padre Fábio, hoje aos 54 anos de idade, do ponto de vista técnico, eu me sinto mais cristão do que eu era aos 20, quando eu fazia os exercícios de Santo Inácio pelo menos uma vez por ano.

Padre Fábio: Sim, o cristianismo lhe chegou por outras vias.

Karnal: Hoje, aos 54, a minha identidade com o sofrimento humano e a minha capacidade de entender o sofrimento...

Padre Fábio: De solidarizar-se com os que sofrem.

Karnal: É muito maior. Mas isso veio com a idade. Sempre imagino que eu poderia ter me tornado um bom padre, mas não queria a incoerência de muito saber e pouco viver.

Padre Fábio: A Igreja perdeu um padre, mas o mundo ganhou um bom cidadão.

Karnal: Padres quase sempre viram pessoas ressentidas, amargas e sem alegria interna. Cultuam a raiva e o desejo de poder. O Pondé chama de "freiras feias sem Deus".[5] Quando li esse texto, lembrei-me de um quadro de Velázquez que está no Museu do Prado, em Madri. Retrata uma religiosa de Toledo.[6] Está nítido no rosto daquela mulher que ela nunca teve prazer na vida, nem na fé, nem físico, nada. Seu rosto é seco e feio. Carrega um crucifixo, mas desconhece, como se diz, a presença de Jesus no coração. Seu desejo é parecer religiosa...

Padre Fábio: E matar todo mundo que passar pelo caminho...

Karnal: Tudo que passar. O tipo da abadessa feia e seca existe em todos os campos, inclusive no intelectual.

Padre Fábio: Concordo com você. Frequentei o meio acadêmico e a desilusão que vi por lá é muito semelhante à que vi nos bastidores da Igreja. O amargor quando revestido de arrogância amarga ainda mais.

Karnal: Com o tempo, fazendo História, cursando pós-graduação, tornando-me professor, fui vendo as religiões como uma expressão de história. Por exemplo, quando Deus diz no Antigo Testamento a Moisés que não se deve cobiçar a mulher do próximo, nem seu servo ou serva, nem seu boi ou jumento e nenhuma coisa do próximo,[7] eu não me choco com certa misoginia do texto. Eu só vejo uma sociedade patriarcal que considera a mulher

---

5. "As freiras feias sem Deus", artigo de Luiz Felipe Pondé publicado na *Folha de S.Paulo* em 7 de agosto de 2009.

6. *La venerable madre Jerónima de la Fuente*. Pintado em 1620. Há duas versões do quadro que diferem apenas na posição do crucifixo.

7. Cf. Êxodo 20,17.

um objeto. Quando Jesus usa suas metáforas agropastoris, como "Olhai os lírios do campo..."[8] e "Eu sou o bom pastor...",[9] eu vejo ali um homem da Galileia, de uma área agrícola mais úmida ao norte, tendo a sua experiência cotidiana daquilo que ele vê, daquilo que traduz. Quando eu leio o Alcorão, eu vejo ali o mundo dos árabes do século VII. Eu sou filho de um mundo pequeno-burguês, urbano, interiorano, gaúcho alçado a um grande centro, e toda a minha percepção de mundo é marcada por essa história. Eu não consigo pensar muito longe disso. Como defende Heidegger, eu estou onde as minhas palavras me trazem, em meu mundo, minha cultura. Se, em algum momento no Evangelho, Jesus dissesse assim: Mas isso é física quântica, vocês ainda não sabem, mas um dia...

Padre Fábio: Um dia saberão!

Karnal: Um dia saberão... Isso é um silêncio semântico, é um hiato, é uma ruptura de sentido que não se explica pela história. Então eu encontraria algo impactante. Tudo o que existe na Bíblia, tudo que há de belo ou terrível em qualquer texto religioso ou sagrado tem base histórica e é um documento. São textos-espelho. Isso não diminui a importância deles. Para um historiador, inclusive, aumenta muito. Não consigo encontrar nada fora da lógica do momento da escrita, nada.

Padre Fábio: Nada de sobrenatural.

Karnal: Sobrenatural e fora da História. Exatamente o que o jogou para Deus, ou o manteve atado a Deus, foi o que me afastou de Deus. Só encontro o observável

---

8. Cf. Mateus 6,28.

9. Cf. João 10,14.

e explicável. Isso também vale para o plano pessoal. Exemplo: pessoas que gostam de história, rito, liturgia, roupa e figuração geralmente gostam do catolicismo. Pessoas que se inclinam a catarses, exercícios, gostam ou de neopentecostal ou de uma variante carismática. Indivíduos práticos e sem mística identificam-se com o kardecismo, que é uma vertente cristã sem mística, sem adoração de Deus.

Padre Fábio: Tudo se explica pela ciência.

Karnal: Exatamente. E pela psicanálise, e pela sociologia. Exemplo: eu acho o catolicismo medieval-barroco. Medieval na origem e barroco na expressão estética. Eu acho o protestantismo moderno: o indivíduo na relação pessoal com Deus. Eu acho o islamismo típico da Idade Média. Eu acho o kardecismo próprio do século XIX, como os mórmons são característicos do XIX. Mas em tudo e em todas as expressões humanas, eu posso explicar tanto Allan Kardec como Darwin, pois ambos pertencem ao mesmo campo naquele momento: a racionalização típica do século da ciência. Nunca considerei as religiões ruins em si (ou pelo menos piores do que todo o resto que criamos), mas passei a considerá-las humanas. Estados ateus matam e Estados religiosos também matam. Cientistas podem eliminar pessoas como inquisidores o fizeram. Mas cientistas e inquisidores são parte da aventura humana, bela e trágica. Missionários podem dar a vida por uma comunidade, como a Madre Teresa e a organização Médicos Sem Fronteiras, que pode mover jovens de uma situação confortável para um desafio em uma aldeia do Saara.

A questão é que tudo isso é humano, explicável, cognoscível, possível de ser dissecado em todas as suas fibras. Por vezes eu digo: Freud é Deus! Isso não quer dizer que eu considere Freud divino ou infalível, ou nem sequer isento dos limites da sua época, mas que posso utilizar a psicanálise para explicar a humanidade e seus comportamentos. Quando discordo do pensamento de Freud, por exemplo, é a partir da percepção dada por ele. A razão tem limites e há uma luta para superá-los, mas ela traduz clareza e objetividade. A razão permite ampliar Freud e Einstein. A razão centrada no humano permite criticar nosso antropocentrismo blindado e violento contra outros seres do planeta. A razão não conhece tudo, mas atribui o desconhecido ao caminho que falta percorrer, e não ao absoluto. O que me fascina nos textos religiosos e na história das religiões é que tudo neles remete ao momento histórico, a raízes históricas e a percepções concretas do mundo. A lógica das crenças existe mesmo no gesto irracional dos religiosos, pois a psicanálise permite também analisar a patologia, a pulsão de morte e a perversão. O humano engloba tudo, inclusive suas expressões religiosas. Os religiosos ficam felizes quando faço louvores à riqueza imensa das tradições teológicas. Ficam um pouco menos felizes quando insiro tudo no plano da História e considero nossa consciência, a consciência humana, o limite de todo o universo. Nossa consciência humana valida milagres, cria curas, comprova aparições, atesta possessões, entrega-se ao poder de amuletos e sente bem-estar em lugares sagrados. Esse emaranhado de feixes nervosos e neurônios que, desde a revolução cognitiva, há 70 mil anos, elabora linguagens complexas também cria e mata deuses. Osíris existiu por mais tempo do que Jesus na crença dos egípcios. Deuses também morrem quando seus adoradores morrem.

PARTE 2

Fé *versus* ciência

Padre Fábio: Para você, qual seria a religião que mais fala aos dias de hoje?

Karnal: As pessoas customizam a religião, a experiência de Deus. É emblemático o que eu ouvi de uma pessoa muito célebre. Ela disse: "Eu sou tão católica que em outra encarnação devo ter sido freira". Ou seja: ela se anuncia católica e esquece que a reencarnação é definida como heresia desde o Papa Pio IX.

Padre Fábio: Sim, tem sido muito comum a customização religiosa. As pessoas se desobrigaram da pertença fiel. Não estão muito interessadas em definições dogmáticas. Querem a religião que funcione naquele momento. E só. Hoje em dia é até difícil pedir a uma pessoa que se defina religiosamente. Em muitos casos, há a prevalência de uma ignorância religiosa extrema. Nem sempre há o interesse pelo conhecimento. Faz-se uma adesão a um discurso religioso sem querer saber o antes de tudo aquilo. Participa-se daquele momento, entusiasma-se, mas não há uma curiosidade que leve a abrir livros, pesquisar, fazer um recuo histórico, que proporcione saber onde tudo começou. O ser humano nem sempre é exigente com aquilo a que adere. A adesão momentânea a um movimento religioso nem sempre significa comprometimento com a teologia que está por trás dos ritos. Há teologias que não são conciliáveis, como no exemplo que você deu. Crer na reencarnação é um obstáculo à crença na ressurreição. Mas as pessoas não são conscientes desse empecilho. E então se dizem católicas fazendo um adendo com o kardecismo, sem pensar que teologicamente há uma ruptura entre as duas convicções. Não é possível ser católico e kardecista. É um ou outro. Mas as pessoas não têm essa compreensão.

Karnal: Não é possível ser budista e católico.

Padre Fábio: Justamente! Eu posso até dizer, como cristão, que encontrei na reflexão budista aspectos que me favorecem crescer na minha vida cristã. Há ensinamentos que se encontram. Conheço católicos que descobriram na meditação uma técnica de concentração que facilita a reflexão que fazem diariamente do Evangelho. Veja bem, não estamos falando de teologia. É uma prática ritual, um caminho que facilita o voltar-se para dentro, o chegar a si. Agora, quando você tem antropologias e teologias que se opõem radicalmente, como conciliá-las?

Karnal: Mas você nota isso?

Padre Fábio: Sim, o tempo todo. A adesão que não contempla o conhecimento é um campo fértil para a ignorância religiosa. E a customização é um resultado do não comprometimento com as instituições religiosas. Cada um vive ao seu modo, de acordo com o que lhe interessa.

Karnal: Eu acho que a crença das pessoas é, essencialmente, crença em si. É um pouco duro dizer isso, mas nós vivemos a era de adoração a Narciso. Usando uma ideia que é de Agostinho, quando afasto da Bíblia o que eu não quero e seleciono o que quero, eu creio em mim e não na Bíblia.

Padre Fábio: Sim, é muito comum encontrar crentes assim.

Karnal: É muito curioso para voltar ao que discutimos: o Deus cotidiano, humano, diluído nos seres humanos, o Deus das pequenas coisas, o Deus não metafísico, o Deus de Abraão, o Deus que hesita, que manda Sara fazer pão; e Sara ri – uma cena raríssima na Bíblia, alguém rindo. Jesus não riu. Nunca achei um trecho que mostre Jesus rindo.

Padre Fábio: Mas não se esqueça de que o primeiro milagre que Ele fez foi multiplicar o vinho, sinônimo de alegria. Não tenho dificuldades de imaginá-Lo sorrindo. Há muitos trechos no Evangelho que me favorecem vê-Lo assim.

Karnal: O riso não aparece no Evangelho. Imaginamos Jesus rindo em festas, mas não há descrição disso. Como as pessoas lidam com a dor e o cotidiano, com o caráter opaco de quase tudo, padre?

Padre Fábio: Ninguém tem uma vida extraordinária. Todo mundo precisa administrar um cotidiano absolutamente comum. Eu me recordo de que uma vez perguntaram a Adélia Prado por que ela, sendo a grande escritora que é, vivia em Divinópolis. Ela respondeu: "O que eu preciso para escrever é o que qualquer outro lugar do mundo me daria, é meu cotidiano". Transformar a experiência cotidiana numa experiência prazerosa, frutuosa, é o desafio de todo discurso religioso. Colocar alma no corpo, soprar alegria nas realidades, fortalecer o espírito humano para dar conta da existência. Tudo isso pode ser resultado de uma experiência religiosa fecunda. Na Sagrada Escritura há muitas passagens em que o povo se fortalece a partir de teofanias, manifestações miraculosas de Deus. É interessante pensar que o milagre é a quebra do cotidiano, o momento em que a alma descansa da mesmice. Mas essa quebra também nos chega por outros meios. A beleza, por exemplo. A alma humana é sensível, tem sede de beleza. Nesse ponto a arte se torna grande aliada da religião. Por meio dela chega-se ao deleite espiritual. E então nos fortalecemos para suportar o peso dos dias.

Karnal: Mesmo um ateu?

Padre Fábio: Mesmo um ateu. Isso não é um privilégio de crentes. É um dom humano. Só é preciso despertar a sensibilidade de perceber o belo, de ter a experiência da beleza, do conhecimento. Nessas realidades humanas há uma dimensão que oferece salvação. São realidades que nos salvam do absurdo, que dão significado aos desafios que enfrentamos. Todos nós precisamos experimentar a salvação histórica. A vida só é suportável quando trazemos para nossa rotina realidades que nos ajudam a sorver o cálice. Um ateu não se preocupa com a salvação após a morte, mas não está dispensado de pensar na salvação histórica. Dentro dos discursos religiosos, o conceito de salvação se aplica sempre à vida após a morte. Eu prefiro compreendê-lo com mais abrangência. Voltamos à esperança operante, de Moltmann. Enquanto espero pela salvação eterna, trabalho na minha salvação histórica. O que me salva hoje do absurdo, do caos, da pior parte que me habita, do ser mesquinho que posso ser? Como evoluir? O que fazer para que o pior que há no mundo não encontre espaço para crescer em mim? Todas essas questões me encaminham ao que de mais religioso posso conhecer e experimentar.

Karnal: Essa teologia "*hic et nunc*", essa teologia aqui e agora, não excluiria a ideia de um Deus que transcende.

Padre Fábio: Não, de jeito nenhum, por isso eu fiz questão de citar a esperança operante. Ao refletir as realidades escatológicas a partir do conceito de esperança, trazemos para a história a dinâmica da salvação. Mas em momento algum desconsideramos o agir de Deus. A salvação é um dom que antecede nossos esforços, mas não os dispensa. Deus está na origem de todas as realidades. A resposta humana completa o movimento de salvação. Estamos falando de uma fé encarnada.

Karnal: Partindo para a provocação que estimula o debate: se eu tenho Deus na minha experiência do belo e da estética, se eu tenho Deus ao tocar Bach, ao analisar a *Vista de Delft,* o quadro de Vermeer; e você tem Deus na sua forma de crer, não faria diferença ter fé ou não, porque ela viria de uma experiência humana e de estética. Quer dizer, nós estamos concluindo que somos iguais, tendo ou não fé. Sendo assim, qual seria a sua vantagem em relação a isso? E qual a possibilidade de liberdade dentro disso? Lembrando Dostoiévski: "Se Deus não existe, tudo é permitido". Padre, quais são as ideias que circunscrevem a sua fé? Você pode abandonar a fé sem que isso destrua quase tudo na sua vida? Eu posso adquirir a fé nesse encontro, eu posso sair daqui dizendo: "O Padre Fábio me converteu, mas eu continuo sendo professor da Unicamp". E você?

Padre Fábio: Se um dia eu chegasse à conclusão de que deixei de crer, ou se concluísse que a fé católica deixou de favorecer o meu cristianismo, não tenho dúvida de que assumiria publicamente. A forma como escolhi ser padre me permite essa honestidade. Eu não me comunico somente com os cristãos. Recebo diariamente uma infinidade de comunicações de pessoas que se identificam com minha busca. Eu não saberia seguir dissimulando. Assumi desde o início do meu ministério o compromisso de trazer a minha vida para a pregação que faço. Talvez por isso eu tenha seguidores de tantas religiões. A dor que dói em mim é a mesma que dói nos outros. Temos muito mais semelhanças do que diferenças.

Qual o benefício de crer como creio? Poder desfrutar a vida sob o enfoque do Sagrado. Tudo que me cerca pode me conduzir a Deus. A natureza, as pessoas, as paixões humanas, as artes, o sofrimento. Como dizia Karl Rahner: "Depois da encarnação nada mais é profano". Eu desfruto desse esclarecimento. O cotidiano é o lugar privilegiado da revelação divina. O mundo que me envolve está repleto de epifanias. Quando escuto Bach, ou quando contemplo um quadro de Vermeer, tenho a mesma oportunidade que você. Mas porque sou um homem que crê em Deus, não me limito a compreender experiência sensível como algo meramente humano. O encantamento é um fruto do Espírito em mim, capaz de me elevar, ultrapassar o limite material da arte que me encanta.

Karnal: Eu acho que é um argumento clássico do ateísmo de Sartre. Por exemplo, ele acha que Deus é uma projeção, uma projeção de tudo, do seu medo. Deus funciona nas chaves que os ateus clássicos lembram. Deus é um superego coletivo, tudo que nós temos que reprimir está em Deus, Deus detesta o adultério, detesta os comportamentos desafiantes, detesta várias coisas, todavia Deus é uma companhia. Como eu sempre disse, não há invenção mais poderosa do que anjo da guarda, um *personal angel* todo seu. Deus é companhia. Deus é um anseio de explicação científica, porque com Ele tudo tem explicação. O mosquito que o atacou agora estava destinado desde antes da eternidade a atacá-lo e nada mais segue ao acaso, não há mais absurdo. Nasce uma criança com anencefalia, ela tem um destino, faz parte de um plano. Nada é absurdo, tudo tem sentido.

Então a fé ocupa um espaço gigantesco. Todos nós, frágeis como somos, queremos algo que nos defenda e nos ame incondicionalmente. Isso funciona...

Padre Fábio: E como é que você explica essa funcionalidade?

Karnal: Como uma tendência quase natural de todas as pessoas buscarem auxílio. Eu acho que nós inventamos essências, uma delas é o amor eterno, romântico; a outra é Deus; a outra é a bondade humana. Inventamos essências que tornam esse vale de lágrimas tolerável. São opiáceos variados em meio a muitas dores. Existe a dor, a solidão, o medo, a finitude representada pela morte, a ausência permanente de paz, o risco da perda de quem amamos, para insegurança quando um filho tarda em voltar para casa... muitas ansiedades. Somos impotentes para a maioria delas. Como não ceder ao consolo da oração, da promessa, da entrega a um poder maior?

Padre Fábio: E funciona?

Karnal: Não tenho dúvida, é eficaz mesmo quando não funciona. Este mundo, para mim, pode ser definido por uma história que ouvi hoje de manhã, de um caso que não aconteceu agora. Há alguns anos, um prefeito do Paraná decidiu pegar o único tubo de oxigênio do hospital municipal e colocar na casa dele para tirar chope durante uma festa de Ano-Novo. Tirou fotos e postou na rede a festa dele com o tubo de oxigênio da cidade. Acontece que na noite de *réveillon*, uma noite com muitas festas e excessos, alguém precisou do tubo e acabou falecendo. Ele foi condenado agora. Como não crer em uma punição eterna para um ser tão desprezível? Eu não conhecia essa história...

Padre Fábio: Eu também não...

Karnal: Mas é um pouquinho da espécie humana. Você acredita que esse homem vai ser punido pelos homens? Talvez não, mas, com certeza, será punido por Deus. Se eu acredito que tudo tem sentido e que inclusive aquela pessoa que morreu, apesar de ser um pecado do prefeito, morreu porque era a hora dela, as coisas ficam muito melhores. Tudo é mais suportável.

Então eu acho que a religião é uma resposta muito importante e muito transcendental para todas as angústias. A aparição de Nossa Senhora, em Pontmain, na França, em 1871, anuncia esperanças para o fim da guerra com a Prússia. Nossa Senhora de Fátima, em 1917, fala que o problema é a Rússia, que vai espalhar seus males pelo mundo; não os Estados Unidos capitalistas ou a Alemanha nazista. Não é uma crítica a Fátima, pelo contrário, eu adoro ir a Fátima. Volto à questão da história. O que Nossa Senhora de Guadalupe diz a Juan Diego no México do século XVI, o que a de Fátima diz aos três pastores, o que Nossa Senhora de Salete diz chorando a duas crianças em 1846, o que Nossa Senhora de Lourdes diz a Bernadette em 1848 são os temas exatos referentes aos momentos das aparições, às necessidades, ou seja, de novo, é a história. Por isso não é uma crítica às aparições ou à fé, mas são elas que respondem a algo importante: a historicidade absoluta do que se crê ser a mensagem de cada instante. Sempre o maior de tudo parece ser a história e sua percepção das coisas. Se eu fosse um filósofo, eu diria que o "tu" é imanente e nada é transcendente.

Certa vez, fui visitar uma sessão de exorcismo numa igreja neopentecostal. E nessa sessão, na periferia de São Paulo, uma moça comum foi atacada pelo demônio e o pastor a exorcizou. Eu fiquei observando aquilo e analisando, anotando, e pensei: Já pensou que importante é você ser atacado pelo príncipe das trevas na periferia de São Paulo? É o mesmo demônio que tentou Adão no Éden e atacou Jesus no deserto. E, se eu fosse o demônio, eu teria que ter o pensamento mais eficaz. Afinal, é muito melhor atacar o presidente dos Estados Unidos do que uma moça da periferia!

"Eu me lembro de que há algum tempo disse algo muito semelhante ao que o Papa Francisco falou recentemente. Fui muito crucificado. Na ocasião, eu disse que tinha muito mais prazer em lidar com um ateu honesto do que com um religioso hipócrita."
Padre Fábio

Padre Fábio: Também tenho dificuldade em compreender as escolhas do diabo.

Karnal: Retomemos a ideia do peso da história. Parece que Deus fala exatamente o que as pessoas querem ouvir... E o mesmo fazem seus emissários, seus santos, suas entidades, seus orixás, seus gurus. Falam tão exatamente o que as pessoas querem ouvir que é lícito eu supor que são as pessoas que fazem Iemanjá falar, o demônio, Jesus, Nossa Senhora de Fátima...

Padre Fábio: Mas quando você demonstra esse descrédito por ver um Deus que é pior do que nós, criado à nossa imagem e semelhança...

Karnal: Eu não acho pior, não; errei se transmiti essa ideia. Eu acho um Deus humano, demasiado humano.

Padre Fábio: Então, mas às vezes Ele é apresentado como alguém muito pior do que nós. Veja bem, particularmente tenho dificuldades em acreditar em um Deus que negocie favores. E o pior, favores que são concedidos

"Este talvez seja um ponto fundamental na questão do ateísmo: a minha liberdade é terrivelmente vasta e terrivelmente livre. E é por isso que, em geral, os ateus não são muito tranquilos. De fato, é angustiante não ter uma referência absoluta."
Karnal

mediante exigências sádicas. Alguém promete que atravessará uma passarela de joelhos para que Deus lhe conceda um favor. Há um equívoco por trás dessa compreensão. Não é nenhum problema incorporar a ascese, o sacrifício à prática cristã. Por meio deles educamos nossa vontade. Mas acreditar que Deus necessite de nosso sacrifício voluntário para nos conceder graças é no mínimo atribuir a Ele um desequilíbrio emocional. Falta teologia da graça na interpretação. Tudo em Deus é gratuidade. Em algum momento alguém fez de Deus a leitura que fez de si. A partir de nossa visão mesquinha, estabelecemos nossa relação com Ele. Eu nunca me senti atraído pela ideia de um Deus atrás de um balcão negociando milagres. Essa caricatura do Sagrado é construção humana de extremo mau gosto, e em nada me ajuda a chegar ao conhecimento de sua bondade. Deus torna-se vítima de nossa inteligência toda vez que O interpretamos a partir de nossos limites. Eu sou um homem marcado pelo limite. Tenho dificuldade de ser gratuito. Mas eu não posso projetar isso para Deus. Se assim o faço, fomento o ateísmo, que é justamente o momento em que o humano se desilude com Deus, percebendo que o Deus a quem ele foi apresentado é pior do que ele.

É urgente desfazer os equívocos que nos separam da verdade sobre Deus. Cabe a nós, líderes religiosos, uma honestidade intelectual e mística. A própria hermenêutica que nós fazemos dos textos sagrados precisa ser repensada. A teologia deixa de avançar quando abrimos mão do esclarecimento que nos chega pelos estudos. Toda a verdade já nos foi entregue, diz a Igreja. Mas ainda precisamos decifrar a verdade. A ação do Espírito Santo é justamente nos fazer entender cada vez mais e com mais lucidez a verdade que nos foi concedido conhecer.

Estamos numa teologia em construção, vendo como São Paulo nos sugere,[10] por meio de um espelho. Mas mediante a ação do Espírito nós caminhamos para experimentar o face a face. O desvelamento é processual. Práticas religiosas do passado podem perder o sentido com o tempo. E então reinterpretamos o vivido à luz do Evangelho. A gratuidade que encontro em Jesus me permite ser cruel em nome Dele? Se Nele eu tenho a chave de leitura para compreender o Antigo Testamento, posso continuar compreendendo Deus como aquele que nos pede o absurdo? Não, claro que não. Por exemplo, o sacrifício de Isaac. Eu particularmente sempre tive dificuldade de entender que Deus possa pedir a um pai que mate o seu filho para lhe demonstrar fidelidade. A passagem sempre me soou estranha, como se me faltasse a chave para adentrar o quarto do mistério do texto. Com o tempo pude assimilar o acontecimento no monte Moriá de uma forma que não contradiz o Deus revelado em Jesus. Abraão estava tomado pelo medo. Sua tradição religiosa o fez acreditar que Deus costuma nos pedir o que temos de mais sagrado. Isaac era o filho da promessa, o menino que ele tanto tinha pedido a Deus. Temeroso de que Deus lhe pedisse o sacrifício do filho, Abraão ouviu Dele justamente o que mais temia. Mas ao pousar a lâmina sobre a cabeça do menino, o equívoco se desfez. E então Abraão compreendeu que Deus não nos pede o absurdo,

10. Cf. 1 Coríntios 13,12.

e tampouco legitima nossa crueldade. Reinterpretar essa passagem me fez muito bem. A nova interpretação, que em nada atenta contra o coração do texto – que é demonstrar a fidelidade de Abraão –, fez-me compreender que a face amorosa de Deus sempre esteve sob os obstáculos colocados por nossos equívocos.

Karnal: Se você me permite aplicar o mesmo método à sua fala, naturalmente muito simpática, o medo encheu, historicamente, mais igrejas do que o amor. O demônio é mais citado nas atas do Concílio de Trento do que o amor de Deus. Tudo isso também é história. Como você lembrou muito bem no início, daqui a cem anos podem dizer que o Leandro era aquele canalha que comia picanha. Como é que ele podia fazer uma coisa dessas, não é?

Padre Fábio: Não sabemos para onde vamos, como iremos evoluir?

Karnal: Quando o profeta Muhammad se junta à menina de 9 anos, para nossa lei atual é pedofilia, no mundo do século VII não era.

Padre Fábio: Era absolutamente normal.

Karnal: Mas eu quero aplicar o método que você expôs de forma tão bonita. A necessidade atual para a sobrevivência da religião pressupõe um Deus pessoal, todo de amor, não institucional, e subjetivo; ou seja, que fala a cada um de nós. E eu também vejo nisso história. E esse momento não admite mais a ideia instituída por Pio XI de um Cristo Rei, não admite mais a ideia de um Deus que foi pintado, que é a descrição de Mateus 25, um Deus do Juízo Final. A obra de Michelangelo na

Capela Sistina é admirada pelo seu brilho maneirista, mas não porque as pessoas compartilhem que um dia vai haver um Cristo que vai condenar os da direita e os da esquerda. A ideia de um julgamento, de um fim, onde há um juiz que o condene ao inferno por toda a eternidade não é mais concebível... Desde o século XVIII, quando Beccaria começa a atacar as punições judiciais, ele introduz a ideia de que toda punição tem que ser pedagógica, não pode ser permanente. A reforma do direito se dá numa descrença da eternidade do mal. Foi o que animou *A divina comédia* de Dante. Às vezes, alguém que erre num momento da vida vai para o inferno por toda a eternidade – é o caso de Paolo e Francesca no segundo círculo do inferno. Porque Francesca se apaixonou pelo cunhado, em vez de celebrar o amor, você os condena ao segundo círculo, a ficarem vagando pela luxúria.

O que é que eu estou dizendo com isso? Hoje a demanda por Deus é a de um Deus paz e amor porque ninguém mais admite punição. Ninguém mais admite inferno. Qual era o medo das crianças de Fátima?

Padre Fábio: Era o inferno.

Karnal: Quando Maria revela a elas que os pecadores caem como folhas no inferno é absolutamente compreensível. A revista *Veja* publicou uma pesquisa que mostra que todos os brasileiros vão para o céu – e a pesquisa foi feita inclusive entre presidiários. Não há mais condenados, não existe mais Mateus 25, não existe mais a ideia de condenação.

Hoje Deus é ecológico, Ele está na proteção do panda, do coala e, para alguns, é vegetariano. A figura divina, na concepção contemporânea, é a favor da tolerância eterna. Eu acho que essa adaptação é a nossa percepção atual de Deus, que um dia foi de Cristo Rei. Quer dizer, por que não um Cristo primeiro-ministro ou um Cristo presidente?

Padre Fábio: Sobre o julgamento final é importante ressaltar que na vida do cristão ele deveria acontecer ao final de cada dia. Foi com minha mãe que eu aprendi, embora ela nunca tenha usado a expressão "juízo final". Ela nunca me deixava ir dormir sem antes fazer o exame de consciência. Aquele gesto simples me ensinou muito. É na percepção das escolhas que fazemos diariamente que nós identificamos se estamos construindo o céu ou o inferno. O juízo final escatológico pertence ao contexto das esperas que ultrapassam o tempo e o espaço, mas ele se antecipa toda vez que honestamente eu me coloco diante de minha consciência, lugar onde Deus habita. Mas sobre esse aspecto que você tocou por último, é interessante identificar que há um estrangulamento histórico em todas as dimensões da vida humana. Nós estamos vivendo alguns caos. O caos social, o moral, o caos ecológico, um estrangulamento. Hans Küng é um teólogo que foi silenciado pela Igreja. Um homem bastante controverso. Mas ele alerta para um aspecto muito pertinente sobre o qual vale refletir. Ele também dizia isto: o fim das religiões está muito próximo porque as urgências deixam de ser religiosas, passam a ser humanas. O que é que vai nos unir? É justamente a ética, a necessidade que nós teremos de estabelecer a ética como um princípio que nos reunirá em torno das mesmas urgências.

Karnal: Eu vou usar uma ideia que não é minha sobre o fim de Deus. Deus terminará com o último homem, mas não antes. Quando o último ser se apagar, então, sim, nós teremos matado o último Deus. Mas eu acho que a religião responde a tantas coisas que o mistério é existirem ateus e não religiosos.

Padre Fábio: O ser humano é capaz de transcender. Nesse atributo eu já encontro o Deus que em tudo me antecede. Mas ser "capaz" de transcendência não me cura da fragilidade que me priva de corresponder aos desdobramentos éticos da minha religião. Essa é a minha vulnerabilidade e a de todos os religiosos. Nem sempre as convicções religiosas são capazes de gerar bons cidadãos. Não é a religiosidade que transforma a vida, mas a espiritualidade que decorre dela. Deveria ser natural, mas nem sempre é. Das religiões, enquanto estatutos e práticas rituais, brotariam espiritualidades, homens e mulheres movidos pelo Deus que a religião tornou conhecido. Há pessoas que, na tentativa de viver uma espiritualidade, se limitam a praticar uma religião. Nem sempre a religião consegue melhorar uma estrutura social. Seria ilusão pensar que as pessoas são mais éticas porque são religiosas.

Karnal: É verdade, mas também não ficam mais éticas por serem ateias.

Padre Fábio: Sim, o ateísmo está intimamente atado ao discurso religioso. Ateus são homens e mulheres que não viram sentido nas crenças religiosas. Mas nem por isso estão dispensados de viver a busca que pode torná-los pessoas melhores. Antes de sermos crentes ou ateus, somos humanos. Padecemos dos mesmos conflitos e nos alegramos pelas mesmas causas.

Karnal: Eu gosto de repetir que se mata em nome de Deus, como por exemplo na Inquisição. Mata-se em nome do ateísmo: os regimes mais genocidas do século XX foram regimes ateus, a União Soviética de Stálin e a China de Mao. Mata-se perseguindo religiosos; Fidel Castro em Cuba, contra a santeria; mata-se em nome do Estado e da purificação de raças (eugenia). O que eu acho em comum nisso tudo é que nós gostamos de matar. E Deus entra nisso como Pilatos no Credo.

Padre Fábio: Sim.

Karnal: Entra por osmose. Então, diferentemente dos divulgadores do ateísmo, como Richard Dawkins, por exemplo, que começa citando John Lennon, "Imagine um mundo sem Deus, esse é um mundo de paz", eu não acredito nisso, porque o que causa a nossa violência não é Deus ou o ateísmo. Porque se mata em nome...

Padre Fábio: Somos nós mesmos.

Karnal: Matamos principalmente em nome do bem.

Padre Fábio: Justamente.

Karnal: A ditadura do bem, a violência da ética.

Padre Fábio: Que é a pior crueldade. Justificada por princípios religiosos, por discursos cândidos...

Karnal: Para o bem do Estado. As utopias matam muito. Utopias religiosas, utopias socialistas, todas elas. Porque querem produzir um mundo bom, e para esse mundo existir têm que eliminar... Agora, o poder catalisador das instituições religiosas é muito forte. Quando você funda uma instituição, partido nazista ou uma igreja, aí sim você pode transformar o ódio numa prática, pois ele deixa de ser individual. O Nelson Rodrigues falava que, quando um imbecil se acha solitário, ele sai à rua e encontra outro idiota. Como não estava mais sozinho, ele passava a se perceber como maioria.

Padre Fábio: Sim, um número considerável.

Karnal: Se antes eles eram envergonhados, agora passam a proclamar a imbecilidade, como uma espécie de novo *Alienista* do Machado de Assis, proclamam que a imbecilidade é a norma, e ela é. O medo é a norma. A violência é a norma. Então encontrar religiosos ou ateus éticos é excepcional. E isso não tem a ver com religião. Eu nunca atribuo ética ou falta de ética a crenças ou à falta delas.

Padre Fábio: Ao crer ou não crer...

Karnal: Pelo contrário. Mas, para a maioria das pessoas, a ideia de um Deus juiz funciona como o patamar possível da ética. É assim: eu não vou matar alguém porque isso pode me dar trinta anos de cadeia aqui e uma eternidade... É preciso esclarecer que, do ponto de vista da ética aristotélica, não se deve matar alguém porque isso é errado em si.

Padre Fábio: Incutir esse valor é muito difícil.

Karnal: É. E por isso eu acho que a ética, que você citou, ela é excepcional em qualquer campo. No campo religioso e no campo da falta de religião, porque ela não depende dessa crença ou descrença, e de novo eu volto à questão, eu acredito no homem e na história.

PARTE 3

Qual é a importância da fé? E de Deus?

Karnal: Um ponto que eu queria retomar com você, Padre Fábio, é se nessa conformação religiosa, em que eu estou sendo cético em relação a Deus, qual é então a importância da religião? Ou da fé, já que o bem e o mal não derivam da crença? Pelo contrário, nós constatamos que a crença com frequência canaliza o mal. Então por que acreditar se o mundo vai ser bom ou ruim independentemente da religião? Ou independentemente da fé? De onde o cético tira a fonte da luz e da verdade para distinguir o certo e o errado? Assim como o cético pergunta ao religioso o que lhe garante que a sua escolha não seja uma escolha eticamente infantil, porque é dada por um terceiro, por uma autoridade externa.

Padre Fábio: Uma autoridade externa que se manifesta em mim, sem nunca desrespeitar minha vontade. Como sugeria Agostinho de Hipona (Santo Agostinho), creio num Deus que me é mais íntimo do que sou de mim mesmo. Não compreendo que seja uma ética infantil. O amadurecimento cristão é semelhante às regras do desenvolvimento do juízo moral em Piaget. Da anomia, quando ainda não sou capaz de seguir regras; à heteronomia, quando sigo porque repito o comportamento de alguém que segue; até chegar à autonomia, quando já tenho internalizado em mim o significado das regras. É em mim que percebo a dinâmica divina. Deus agindo em mim, por mim, comigo. A teologia mora nas preposições. A religião é um importante caminho para nos ajudar a viver o deslocamento sugerido por Piaget. É importante salientar que Piaget, em nenhum momento, refletiu o desenvolvimento moral como amadurecimento cristão. Sou eu que o faço, reconhecendo nos estudos dele uma aplicabilidade ao que compreendo como conversão. Quanto ao seu jeito cético de ser religioso, não titubeio em dizer que estamos vivendo processos semelhantes. Em você também há uma busca diária para se tornar um ser humano melhor. Diferentemente de mim, você não reconhece um ser que o antecede, encorajando-o para desobstruir os caminhos que o apartam de sua melhor versão. Você não invoca misticamente o Deus que o habita, mas nem por isso está privado de experimentar os Seus efeitos. Ao querermos extrair de nós o que temos de melhor, estamos vivendo o mesmo processo. O que nos diferencia? Você o faz munido de seus esforços. Eu o faço munido da graça divina que sustenta os meus esforços. Na minha compreensão há um Deus que me antecede. E essa crença não me aliena porque não me desobriga da parte que me cabe no processo. É interessante observar a busca que as pessoas fazem pelo aperfeiçoamento humano. Crentes e ateus precisam viver os mesmos desafios.

Cada um procura a forma que melhor lhe responde. Alguns na terapia, nas artes; outros no conhecimento, nas religiões; e outros, ainda, nas religiões conciliadas com os instrumentais terapêuticos, artísticos e acadêmicos. O fato é que todo mundo tem necessidade de soprar espírito no corpo. É esse sopro que faz com que o processo de aperfeiçoamento tenha continuidade. É ele que nos permite suportar as demandas da existência. *Anima*, do latim, quer dizer: aquilo que concede ânimo.

Eu encontrei na religião um conjunto que me anima. Minha religiosidade contempla arte, conhecimento, oração, cuidado com o corpo, terapia. Faço questão de viver uma religiosidade plural, que dialogue com o mundo que me cerca. Mas preciso reconhecer que encontro pessoas que não optaram pela religião e que desfrutam benefícios muito semelhantes aos que eu desfruto com as escolhas que fiz. Pessoas que descobriram o sustento, o ânimo por outras vias.

Eu não carrego a pretensão de que posso delimitar o agir de Deus. Ele não precisa receber minha voz de comando para entrar na vida de alguém. Sou padre e sei perfeitamente da autoridade que a Igreja me concedeu. Exerço-a com muita responsabilidade. Mas sei que Deus não se limita ao que a Ele posso oferecer. Posso identificar em muitas pessoas que não conhecem o cristianismo um movimento de evolução, de humanização, de superação daquilo que nos faz retroceder à crueldade tribal. Pessoas já maduras para a prática da solidariedade, com senso de justiça apurado. Não estão ali os resultados do cristianismo que tanto quero alcançar?

É diferente quando eu estou dentro do meu espaço celebrativo e as pessoas vão como cristãs católicas. Não fico ali fazendo juízo do quanto elas são católicas ou do quanto são cristãs. Estão ali celebrando juntas e pronto. Mas, quando vou conviver com elas, aí me interesso. Procuro perceber onde essa fé está encarnada, se está gerando uma atitude, um jeito de ser. O meu crescimento é sempre comunitário. Depois do rito, a vida. Nos bastidores religiosos eu esbarro constantemente na crueldade em nome de Deus. A hipocrisia precisa cair por terra. É na convivência que dirimimos o poder da incoerência. Ser religioso, ter uma religião, não é garantia de retidão de caráter.

Eu me lembro de que há algum tempo eu disse algo muito semelhante ao que o Papa Francisco falou recentemente. Na época eu fui muito crucificado, o papa foi menos do que eu. Na ocasião, durante uma entrevista, eu disse que tinha muito mais prazer em lidar com um ateu honesto do que com um religioso hipócrita. A mim interessa estabelecer vínculos com pessoas que queiram superar o mesquinho que habita em nós, independentemente de terem um credo ou não. O respeito às questões humanas, o amor à verdade, à justiça são o ponto de partida. Isso me interessa.

Eu também já tive os mesmos motivos para me desiludir que você teve, Karnal. Mas eu resisti à tentação de transferir essa desilusão com o humano dos bastidores religiosos para o Deus que experimentei.

Quem me colocou diante de Deus me colocou com as possibilidades que tinha, com os limites que possuía.

Também fui vítima de uma religião normativa, preocupada em colocar regras, e não necessariamente valores. Também fui vítima de um discurso religioso que me apresentou a um Deus vingativo, especialista em vigilância. Aos poucos pude desconstruir isso e perceber que esse Deus não me interessa, porque não faz sentido para mim. Se preciso abrir mão do bom senso para crer, então não posso prosseguir crendo. Minha experiência me ajudava a corroborar isso. Encontrei muitos homens e mulheres que não professavam uma fé institucional e que sopravam ânimo em mim. Eu tive professores ateus no curso de Filosofia que me fizeram tão bem quanto os diretores espirituais, porque me aproximaram com muita reverência do mistério humano.

Hoje, para ser quem sou, crer como creio, preciso reconhecer as experiências que me foram proporcionadas pelos ateus. Ou pelos indiferentes religiosos, pelos que experimentaram Deus por outras vias. A própria literatura, por exemplo. Às vezes eu percebo que muito do meu discurso cristão deriva das obras que tive a oportunidade de ler – e que não foram escritas com intenções religiosas. Chego à conclusão de que existe nessas histórias uma verdade humana que me coloca diante daquilo que é mais sagrado.

Karnal: Há duas questões sobre se Deus ajuda ou atrapalha que estão sendo discutidas aqui. O seu discurso e o meu têm uma unidade, a crítica ao farisaísmo. O religioso que sabe tudo da Bíblia e é arrogante e o marxista que cita *O capital* em alemão e maltrata a faxineira da faculdade. Sempre o eterno problema de forma e conteúdo, de saber substantivo e saber adjetivo, de central e secundário. Do professor de português que em vez de ensinar a beleza da língua se atém a mostrar o que é uma oração reduzida de gerúndio e porque ela deve ser emoldurada por vírgulas. Todas essas questões mostram a confusão entre essência e aparência. Aquilo que é criticado por Jesus, especialmente no Sermão da montanha (Mateus 5-7). E também é criticado por Sartre no romance *A náusea*, de 1938, em que ele ironiza a figura do intelectual que está lendo em ordem alfabética a biblioteca, achando que isso significaria dominar o saber, e perde a essência do saber, que é a criação, a beleza, o desafio, a transcendência do conhecimento. Isso é unânime entre nós, independentemente de fé ou não fé. Nós criticamos quando a norma substitui qualquer coisa que ela deveria não atrapalhar, quer dizer, quando nós damos aulas de piano e achamos que é mais importante tocar a escala do que tocar uma valsa. A escala é um exercício técnico que prepara a beleza da valsa. O conhecimento da Bíblia levaria ao conhecimento de Deus e não à erudição opressiva. O problema é humano, não religioso.

PARTE 4

A religião ajuda ou atrapalha? E a Igreja?

Karnal: Pergunta provocativa e direta: religiões ajudam ou atrapalham o mundo?

Padre Fábio: Depende. E depende de muitos fatores. Dentro da estrutura das religiões proféticas há um livro sagrado. Esse livro será sempre interpretado por uma mediação oficial, institucional. Do livro derivam mística, regras morais, cultura. Se essa mediação não estiver honestamente purificada, desejando que a religião seja uma oportunidade de proporcionar um encontro entre Deus e o ser humano, promovendo valores que qualificam a vida social, sim, ela pode ser nociva. Quando movida por interesses políticos, econômicos, ideológicos, a religião torna-se um mero instrumento de poder. Ao abrir-se ao processo mundano, esquecendo-se de que seu papel é promover o amor a Deus e o respeito ao humano, a religião passa a ser um obstáculo ao amadurecimento espiritual. Um discurso religioso tanto pode favorecer a maturidade humana como pode dificultá-la. Catequizar é sempre um risco, pois consiste em incutir convicções que podem ser naturalmente facilitadoras ao processo humano, ou não. Toda crítica eu faço a partir de mim. Só assim tenho o direito de a fazer. Já experimentei uma fé que justificava todas as minhas inércias. Deus faria tudo por mim. Com o tempo percebi que essa fé me infantilizava. Não, Deus não poderá fazer tudo por mim, porque há uma parte que me cabe. É uma relação de cooperação. Em tudo Ele me antecede, mas não me desobriga de fazer o que preciso. A fé com excesso de Deus. Deus no mais alto dos céus cuidando da minha vida. Também já experimentei uma fé que me fazia pensar que tudo só dependia de mim. Tinha dificuldade em compreender a intervenção divina na minha história. Eu no centro, decidindo tudo sozinho. A fé com excesso de mim. Com o tempo veio o equilíbrio. Deus e eu em eterna parceria. E assim me senti reassumindo o processo de maturidade espiritual. Volto a dizer, eu creio na proteção divina, mas olho para os dois lados antes de atravessar a rua. Crer assim não me coloca no mundo como alguém que atrapalha a ordem das coisas. Não transformei minha experiência de fé numa ideologia, pois não abri mão da transcendência, mas também não perdi a dimensão imanente da minha crença, que me faz experimentar um Deus ao meu lado me ajudando a ser quem posso ser. Compreendo minha religião como uma oportunidade de incorporar valores que me humanizam, me tornam mais justo, mais verdadeiro. E vejo nessa atuação histórica uma forma natural de lidar com as esperanças que me colocam na perspectiva da eternidade. A vida sacramental que faz parte da minha religiosidade é o lugar da minha salvação. Salvação histórica e eterna.

O rito precisa repercutir em mim, atingir minhas convicções, gerar caráter cristão. Nisso consiste minha salvação.

Esse é um ponto interessante para refletir. Quando a fé em Deus não se desdobra em amor à vida, a religião pode se tornar um instrumento de alienação, gerando um desprezo pela história e uma supervalorização da vida pós-morte. O desafio é estabelecer um caminho pelo qual possamos experimentar o equilíbrio entre a transcendência e a imanência. Viver com o devido respeito às questões sagradas, mas também com amor às questões humanas. Identificar na experiência humana uma oportunidade de sermos, de fato, religados. Religião, do latim *religare*, religação entre Deus e os seres humanos. Quando essa religação proporciona o desvelamento das partes que se relacionam, não há possibilidade de representar obstáculo ao mundo.

Pessoalmente estou muito satisfeito com a fé que professo e ensino. Não a considero um estorvo. Acho bela a teologia que estudei, significativo o conteúdo que encontro à minha disposição, as regras para ser cristão. É uma regra de vida que me edifica. Não me sinto, em nenhum ponto daquilo que verdadeiramente considero cristão, afrontado ou desrespeitado em minha natureza. A minha fé não afronta a minha racionalidade. Eu não preciso abrir mão da minha inteligência para crer como creio. E, quando eu me deparo com algum aspecto que considero nebuloso, eu opto por contemplar, em vez de responder. Se um dia o esclarecimento chegar, tudo bem; se não, sem problemas, sigo assim mesmo, pois eu já tenho o essencial.

Karnal: Essa crença na divina providência pode levar a uma inação: eu me torno massa de manobra de um destino, geralmente assumido por líderes religiosos. Posso ficar "manso" porque minha religião me adestrou ou posso ficar perigoso porque minha religião me mandou ser violento ou até matar.

Padre Fábio: A crença na divina providência não nos desobriga de trabalhar. Vi muitas pessoas vivendo irresponsavelmente essa crença, outorgando a outros a responsabilidade de as proverem em suas necessidades. A providência divina é o complemento do nosso esforço.

Karnal: Fazendo outra referência histórica, quando Francisco e Domingos fundam, no século XIII, ordens mendicantes, eles estavam num momento em que viver de mendicância era visto como virtude. Hoje, se eu fizesse o Padre Fábio de Melo bater de casa em casa num condomínio, pedindo um prato de comida, você seria tido como um vagabundo.

Agora quero voltar a isso invocando um dos autores pilares da mudança da minha vida, Dostoiévski. Em *Irmãos Karamázov*, ele insere o conto "O grande inquisidor". Para relembrar aos nossos leitores: nessa história narrada dentro do romance, Jesus volta, e a volta de Jesus se dá num momento muito interessante, em Sevilha, no fim do século XVI, durante um auto de fé. Jesus está de novo entre nós. Ele tem a aparência, tem a túnica, faz os milagres; todo mundo O reconhece como Jesus. Então chega esse grande Inquisidor e observa Jesus. Em vez de adorá-lo ou se alegrar, o prelado manda prendê-Lo, para surpresa de todos.

A cena final da narrativa é na prisão, diante de um Jesus mudo, que nunca responde ao inquisidor que Lhe fala sobre as cenas da tentação de Cristo no deserto e suas três provações: transformar pedras em pão, atirar-se do alto para ser amparado e adorar ao demônio. O Messias recusa as três ofertas e insiste que as coisas do céu são mais importantes e que nem só de pão vive o homem. Para o inquisidor, Jesus fez uma religião ótima, porém, para meia dúzia de pessoas. E a Igreja, sabendo que isso era inviável para o grande público (risos), fez uma religião adequada. Então o que eu questiono de forma mais dura – porque a conversa está muito simpática, mas deveria ser o embate entre dois universos – é o seguinte:

A religião do bem de que você está falando, da vivência da corporalidade como um dom, da ética sem a necessidade de um inferno, do otimismo e da busca do humano por meio de questões que não pressupõem um Deus que castigue, mas um Deus definido pelo apóstolo João como um templo de amor; essa religião absolutamente simpática me dá a imediata vontade de aderir ao "fabismo", ou seja, ao cristianismo do Padre Fábio, a me tornar um "fabiano".

A religião que funcionou historicamente no mundo é a religião institucional com normas, prêmios e castigos. As religiões possuem autoridades pagas, coletoras de taxas, prédios e bens, influência política e entidade jurídica. O "fabismo", a sua crença, é marginal ao mundo do poder.

Padre Fábio: Sim, o único poder que tenho é o que me coloca a serviço do outro: o meu sacerdócio.

Karnal: A religião formal funciona positivamente. O indivíduo bebe, usa drogas, gasta com prostitutas e, de repente, entra na igreja. Ele descobre o mundo da religião. Seu vício é levado para a igreja. Só que agora ele não bebe mais, ele lê a Bíblia. O comportamento compulsivo que ele tinha com a bebida vira compulsão em decorar versículos. E isso mentalmente funciona muito bem. Ele para de beber, passa a trabalhar regularmente, abandona as prostitutas e a sua vida muda. Era sobre isso que o cardeal inquisidor falava. Essa é a religião do mundo, a concreta e a que funciona. Ele atribui à Igreja o que foi a sua mudança. Então a pergunta é se a religião sobre a qual você fala, a fé que você está defendendo, que é absolutamente bonita e poética... quantas pessoas podem seguir? Por exemplo, podem seguir uma ética se não houver coerção? Podem ser pessoas honestas só pelo consenso? Se não, estamos esquecendo a advertência do cardeal inquisidor, que dizia, claro, que a religião do Padre Fábio é maravilhosa. É claro que o que você está dizendo tornaria o mundo um paraíso, gente conversando de religião sem necessidade de repressão, sem invasão do espaço alheio, entendendo diferenças, aceitando contradições, sabendo que o espírito sopra onde quer.... Mas qual a viabilidade disso entre os 2 bilhões de cristãos do mundo? Ou qual é a chance de os meus alunos lerem tudo o que eu mando se não tiver prova? Se eu disser para eles lerem *Os sertões*, a parte inicial ("A terra") vai matá-los.

Padre Fábio: Mas cá entre nós, Euclides da Cunha não facilitou a vida do leitor em nada.

Karnal: Se eu disser leia *Frei Luís de Sousa*, de Almeida Garrett, que chance eu tenho de essa pessoa ler se não for pela coerção? Acho que o inquisidor penetrou na alma humana e falou com clareza: a vitória religiosa é a vitória do humano possível e sua necessidade de coerção entre alguns consensos.

> "De vez em quando alguém me pergunta: 'Como é o céu, padre?'. Honestamente, eu respondo: 'Não sei, querido, porque eu ainda não morri. Estou na mesma situação que você, sem saber como é'."
> Padre Fábio

Padre Fábio: Eu atuo no espaço que posso, com aqueles que se dispõem a me ouvir. Há doze anos apresento um programa de televisão em que falo com as pessoas todas as quartas-feiras. Mas, como você mesmo disse, eu também acredito que esse cristianismo fecundo não é fácil de ser assimilado e vivido. Em muitos momentos do meu discurso, você vai me encontrar dizendo isso. Requer maturidade espiritual. A proposta de Jesus não é simples; pelo contrário, é muito sofisticada. O estatuto ético que se desdobra de Seus ensinamentos é exigente. O apóstolo faz uma metáfora significativa. É a busca pelas "coisas do alto", isto é, o empenho diário em vencer o adâmico que está em nós, assumindo a proposta de Jesus como regra de vida. Buscar o que de mais sublime podemos conhecer. Essa busca esbarra no nosso jeito de ser. Recruta o amadurecimento humano, a travessia,

> "O fato de algumas borboletas durarem 48 horas e algumas tartarugas, 150 anos, não faz com que uma vida seja melhor do que a outra. Na verdade, eu acho, inclusive, que a beleza da flor natural é ela morrer. E é o horror da flor de plástico: nunca morre e, por isso, nunca vive."
> Karnal

o êxodo que nos liberta das escravidões impostas pelo "indivíduo", até chegarmos à liberdade do "ser pessoa". Na cultura judaica "ser pessoa" consiste em se possuir para se dispor. Não é possível "ser pessoa" apenas em um dos pontos do processo. Quem se tem mas não se dispõe nunca ultrapassa a condição de indivíduo. O "ser pessoa" se firma no ter-se para doar-se. Tenho posse do que sou e me dou. Pode parecer utópico, mas quem vive sem uma utopia? Eu acredito realmente na possibilidade de que essa reflexão possa nos esclarecer sobre as incoerências que nos visitam. Ser cristão e "ser pessoa" são conceitos complementares. O Evangelho é meu ponto de partida. É a partir dele que compreendo minhas incoerências e insuficiências. E assim eu pratico um cristianismo que funciona como terapia. Eu me curo de mim, supero minha individualidade, tomo posse de minhas possibilidades. O Evangelho possui uma força capaz de me levar a um Fábio melhor do que eu já fui até hoje. Acredito nesse movimento. Como você mesmo disse, os "fabistas", aqueles que de alguma forma se identificam comigo, também querem viver o mesmo empenho. Recebo com muita frequência o testemunho de pessoas de outras denominações religiosas que de alguma forma se identificam com o meu ministério.

Karnal: A que você atribui isso?

Padre Fábio: Quando falamos de questões que são comuns a todos nós, é natural que as diferenças pesem menos. Você, por exemplo, é ateu. Mas eu gosto de ouvi-lo. Sua reflexão acerca das questões humanas me enriquece. Há alguns meses você deu uma palestra numa paróquia, um ambiente absolutamente eclesial, dentro de uma igreja, e falou de maneira absolutamente respeitosa sobre questões que nos são caras. Nós não nos sentimos desrespeitados em nenhum momento pelo seu discurso, e, ao mesmo tempo, você não abriu mão das suas convicções. Eu realmente acho que esse mundo é possível.

Então nós éramos poucos? Éramos. Se talvez aquele encontro tivesse acontecido dentro de um ginásio de esportes, alguém lhe gritaria um desaforo ou lhe jogaria uma lata de refrigerante, mas não. Aquela pequena assembleia achou o encontro interessante. As pessoas saíram de casa para ouvir um ateu confesso falar sobre os sete pecados capitais. E não saíram de lá menos crentes. Pelo contrário, sua reflexão certamente abriu portas nas consciências, ampliou o horizonte de sentido de muitos. E eu acredito que nós vamos avançando para essa maturidade espiritual, que nos dá o direito de crer como cremos, sem necessariamente impor aos outros a mesma fórmula, permitindo que o espírito sopre entendimento, lucidez, sentimentos que nos levem a considerar ser mais importante o que nos une que o que nos separa. Nem sempre estamos prontos para o entendimento. Ele é processual. Quantas pessoas eu encontrei no passado marcadas pela arrogância, como se tivessem engolido a verdade suprema, sem condições de acolher os que pensavam diferente delas. De repente, dois, três anos depois, reencontrei-as mais leves, menos prepotentes, mais dispostas ao encontro que proporciona o entendimento. Eu acho que o processo é assim para todos nós. Não vejo como um problema quando eu interpreto que falo com poucos. Muitas pessoas me escutam, mas eu acho que falo com poucos, para poucas pessoas. Porque eu também vivo o meu desafio de acreditar no que digo. Estou no processo de crer. O tempo se encarrega de me conceder os instrumentais da evolução. É a ação do espírito prometido por Jesus. A fé é um dom que se assemelha à semente. Ela nunca é a mesma porque está sempre se transformando.

Karnal: Provavelmente a única maneira de descobrir a fé é pregando sobre a fé. Porque é um processo lacaniano de escuta de si também, às vezes de convencimento, de esclarecimento de todas essas coisas. O desafio que Dostoiévski – na sua densidade – propõe é de realmente pensar que o cardeal tem razão e o cristianismo de Jesus é uma utopia de tal forma desafiadora que ela faz jus à palavra utópico, que significa "lugar nenhum". Que ela remete a um lugar não realizado. É algo que salva os religiosos como salva os socialistas. Os socialistas dizem que o que houve na União Soviética de Stálin não foi socialismo, o que há em Cuba não é socialismo, logo tudo que há não é a verdadeira essência do que eu acredito, e tudo que não há é a essência do que eu acredito. Então, quando eu digo que a Inquisição não é a verdadeira expressão de Jesus, a Igreja com seus tribunais não é a verdadeira essência de uma religião despojada de um Jesus que nem sequer falou, de fato, em fundar uma religião. Não, é difícil eu falar que Jesus fundou. Tal como diz Paul Johnson, especialista irlandês em história da Igreja, o cristianismo é fruto de Paulo e não de Jesus.

Sendo o primeiro autor a escrever no Novo Testamento, Paulo deu a forma grega a essa mensagem e universalizou-a, introduziu uma noção de graça totalmente nova, que é anterior aos Evangelhos. E, com isso, a Igreja se tornou uma mistura de uma organização romana, filosofia helenística e da ética judaica. O sucesso das religiões dependeu de elas abrirem mão do seu carisma. Ou seja, para o cristianismo conquistar o Império Romano, ele teve que se associar ao Estado romano. E a associação entre religião e Estado é, sempre, em qualquer época, um desastre brutal.

Padre Fábio: E é por isso que o reconhecimento que Constantino deu ao cristianismo, oficializando-o como religião de Estado, continua sendo um desafio para nós, cristãos. Nascemos à margem, crescemos nas catacumbas. As primeiras comunidades foram perseguidas. O cristianismo próximo à origem, sem o glamour das catedrais, continua sendo o nosso desafio. Só um constante recuo histórico nos salva de nos tornarmos o oposto do que pretendeu o nosso mestre. O carisma nem sempre sobrevive às estruturas institucionais. Carece de muita honestidade intelectual e mística para que não nos distanciemos dos princípios que nos fundaram. Para mim, a melhor forma de compreender a Igreja é a partir do conceito de "Reino de Deus". Uma organização que faça um movimento de transformação das estruturas sociais por meio de valores que nos coloquem nos eixos de uma escatologia que seja promessa, mas que também seja histórica. Um viver humano que naturalmente nos prepare para a eternidade. O conceito muitas vezes repetido por

Jesus se refere ao poder místico, à autoridade que se desdobra em serviço. Os Evangelhos estão repletos de histórias que naturalmente nos oferecem o código ético do Reino. A forma como Jesus viveu, como pensou e como agiu ainda é o mais importante a ser observado. Paulo é o primeiro a teorizar sobre o vivido. Emprestou sua cultura à formatação da reflexão cristã para que ela se estendesse aos cultos como ele. Os escritos apostólicos, as cartas às comunidades acabaram se tornando um instrumental normativo que se estendeu ao longo do tempo. Mas nenhum escrito por Paulo, ou a ele atribuído, pode contradizer o que disse Jesus. Por isso a necessidade de uma hermenêutica que tenha Jesus como ponto de partida e de chegada.

Hoje, volto os olhos para o passado e reflito: a Igreja que já está em Jesus, no conceito de Reino de Deus, apresenta-se como uma utopia a ser alcançada. Sim, o conceito de utopia me ajuda a entender. O lugar que não existe já me foi dado, mas ainda não o alcancei plenamente. É processual. Dela já tenho a semente, mas ainda estamos florescendo. É a tensão entre o "já" e o "ainda não". A Igreja se desdobra no tempo pela força do Espírito Santo. Teologicamente nós dizemos que é Ele que nos conduz enquanto caminhamos precariamente no tempo. Sim, somos humanos e, embora tenhamos a santidade de Jesus em nossa origem, somos pecadores. Eu não me desobrigo de pensar o peso que minha fragilidade pode exercer sobre meu ofício sacerdotal. Não estou livre de ser um padre sem o Cristo, fora da comunhão que nos originou. Posso, sim, me perder em interpretações que, por motivos históricos, retiraram Cristo do catolicismo. É importante frisar, eu falo das caricaturas do catolicismo.

Interpretar essa minha relação com a Igreja de Cristo exige-me voltar às origens, ao coração do Evangelho, o lugar onde historicamente temos registrado como realmente viveu e pensou Jesus. Esse é o meu empenho diário. Resgatar essa raiz, voltar às intenções de Jesus, ao desejo que Ele tinha de que Seus discípulos fossem promotores de uma nova sociedade. Que eles fossem promotores de uma nova forma viver a relação com Deus. Que eles fossem deserdados de toda e qualquer cultura religiosa que os autorizasse a oprimir em nome da fé.

Eu sei que a Igreja só tem retas intenções em sua origem. É a elas que eu me prendo. Só assim eu posso me sentir adequado, coerente. Porque também eu, se me perco dessa origem, serei capaz de cometer os mesmos erros que Jesus condenava nos sumos sacerdotes daquela época. Em Jesus nós compreendemos que Deus é misericórdia. Mas o discurso sobre a misericórdia é naturalmente perigoso. Porque a misericórdia comporta justiça. Deus é misericordioso porque é justo. Ele lê os corações, o íntimo que desconheço. Ele sonda o que meus olhos não alcançam, vê o antes das coisas como são. E por isso o Seu amor é sempre justo, porque alinhava o todo que permite a sentença. Veja bem, meu olhar é limitado, minha visão é insuficiente. Por isso não estou livre de praticar uma misericórdia sem justiça, ou uma justiça sem misericórdia. Nos dois casos eu incorro em erro grave. Mas como reagir diante desse impasse? Voltando sempre à origem.

Jesus é a Lei, o código a ser consultado. Para nós, cristãos, Nele temos a nova e definitiva legislação.

Em muitas expressões do cristianismo, vejo o retorno ao legalismo, quase que um abrir mão do que em Jesus nós conquistamos. Esse não é um problema novo. A carta que Paulo escreveu aos gálatas fala justamente disso. Alguns cristãos judaizantes queriam retomar as imposições judaicas aos cristãos. Paulo não se cansava de salientar a necessidade de a comunidade manter-se próxima à origem. Para que ela não se desprendesse do carisma inicial. Quando eu me deparo com um discurso que se diz cristão, mas distante da legislação misericordiosa fundada por Jesus, muito mais preocupado em estabelecer-se como instrumento de poder que não serve, mas quer ser servido, eu me recordo da crítica que Leonardo Boff fez, e que foi determinante para que ele deixasse de pertencer à Igreja.

Karnal: *Igreja: carisma e poder* – o grande livro de Boff.

Padre Fábio: Sim. E o que do seu embate me serve ainda hoje é a compreensão de que o poder, quando não compreendido como serviço, naturalmente asfixia o carisma. O pontificado do Papa Francisco tem salientado muito essa perspectiva, aliás, ele já o iniciou sob o desprendimento de uma inusitada renúncia. Bento XVI, reconhecendo que não tinha mais condições de prestar o serviço, renunciou. Uma atitude absolutamente coerente para quem compreende que o poder, sob a luz da legislação cristã, só pode ser mantido quando estamos em condições de servir.

Francisco é um homem que gosta de simbolizar a mudança que pretende. Preza pela prata e não pelo ouro.

Talvez seja uma tentativa de resgatar o Cristo das origens, desconstruir a simbologia que envolveu o cristianismo num glamour que pode nos fazer esquecer que a encarnação do Verbo aconteceu num lugar onde dormiam os animais. Cristo é Rei, mas não nos esqueçamos de que a coroa por Ele usada era de espinhos. Naquela coroa estavam todos os oprimidos sociais, os segregados religiosos, os que viviam à margem, estavam todos os sofrimentos humanos. O Cristo glorificado não destrói o Cristo crucificado. É necessário dar novo significado à realeza de Cristo, recordando que a riqueza litúrgica deveria nos conduzir à simplicidade das atitudes.

A disposição de Francisco em recordar que o poder é serviço representa um passo muito significativo para resgatarmos a Igreja enquanto Reino de Deus. Cada pontífice tem sua marca. Esta talvez seja a dele. Abrir a Igreja aos que hoje correspondem aos que estavam nos motivos da coroa de espinhos daquele tempo. Um deslocamento histórico, místico, abraçando novamente os que, por descuido nosso, ficaram esquecidos pelos caminhos.

Karnal: Eu não tenho dúvida de que a institucionalização de qualquer coisa leva à morte do carisma. No momento em que as ideias de Sócrates viram escolas filosóficas, primeiro a Academia de Platão, depois o liceu de Aristóteles, você já está mais preocupado com a codificação e a instrumentalização do conhecimento do que com o conhecimento obtido de forma mais natural.

Sem dúvida que é muito simpático um papa como o Cardeal Bergoglio, que escolhe um nome símbolo de pobreza, que troca ouro por prata no anel do Pescador, símbolo do poder pontifício – lembrando que ambos são metais preciosos pouco acessíveis. Só que ele continua sendo o líder de uma instituição pesada, antiga, tradicional, que na essência continua, por exemplo, não ordenando mulheres, apesar de falar da igualdade. Uma instituição que continua sendo muito rica, apesar de falar da pobreza, da necessidade de ajudar. Continua exercendo poderes, influências muito grandes. Por exemplo, o atual papa, quando ainda era cardeal, criticou a aprovação da lei que legalizava o casamento gay na Argentina.

Então, ao mesmo tempo é uma Igreja que institucionalmente vai continuar impedindo ou excomungando uma menina de 9 anos que engravida devido a um estupro e entra na excomunhão automática prevista no código de direito canônico. Por mais simpático que seja o papa, por mais fabulosas que sejam as obras de arte, a pergunta é se de fato o legado é o legado que o inquisidor falou a Jesus. Como é que nós vamos seduzir as pessoas se não for pela chance de transformar pedra em pão? Quando Jesus diz que não só de pão vive o homem, Ele traduz o Fábio. Mas Ele afasta a maior parte das pessoas. Quando o cardeal inquisidor comenta com Jesus "Por que você não transformou pedra em pão? Viria muito mais gente buscar o pão e precisariam do pão de novo, e teriam que voltar", o cardeal está dando um método eficaz, um método didático e ao mesmo tempo repressor. Absolutamente repressor, mas que funciona, como funciona o radar na estrada. Não devo correr, isso é antiético, mas o radar é mais forte do que a ética, é o que de fato me faz ir devagar. A Igreja transformou-se num mundo de radares.

Padre Fábio: Eu não me sinto apto para julgar o passado. O que costumo fazer é não permitir que continue em mim o que dele não considero justo. Não me sinto um administrador de radares. Eu acredito que os valores cristãos, quando internalizados, nos salvam do absurdo. Tenho muitos limites como padre, mas também tenho muitas possibilidades. Também reconheço que em muitas situações históricas a Igreja perdeu a oportunidade de ajudar na internalização de valores, limitando-se a ser uma instância de medo e julgamento. Mas ela venceu mais do que perdeu. Ela continua sendo a instituição que mais faz caridade no mundo. Mas não me engano. Muitas pedagogias que nasceram à sombra do cristianismo são pedagogias absolutamente cruéis.

Karnal: Antigamente, em colégios, amarrava-se a mão da criança canhota para que ela não escrevesse com a mão "errada". A crença numa ortodoxia da natureza era a base das instituições. Inclusive das instituições de países ateus como a União Soviética. Isso aproxima stalinistas do Papa Pio XII. Ambos reprimiam, por exemplo, comportamentos desviantes.

Uma família extremamente católica como a dos Kennedy leva uma das filhas a fazer lobotomia, porque ela tinha perturbações mentais. Os protestantes queimaram um médico, Miguel Servet, em Genebra. A perseguição às bruxas era comum a protestantes e católicos. Na essência da organização religiosa estão a normatização e a definição de algum tipo de ortodoxia. Então não invoco problemas de séculos atrás, mas atuais e repetidos.

Padre Fábio: Sim, Deus costuma ser vítima da inteligência humana. Movidas por sentimentos e regras religiosas, muitas pessoas fomentaram o absurdo em nome Dele. Nietzsche foi criado dentro da sacristia. Filho de um pastor protestante, sofreu na carne as consequências de um discurso religioso opressivo, moralizante, tecido de acordo com as fraquezas humanas daquele que o fazia. Um outro exemplo que sempre me ocorre é a própria ética social protestante, usada durante muito tempo para conformar as pessoas a um modo servil de trabalho, privando-as de conhecer a satisfação profissional, compreendendo o trabalho como lugar do sacrifício. O ateísmo, em muitos casos, é a tomada de consciência de que o Deus a quem fomos apresentados é bem pior do que nós. Sua capacidade de ser cruel supera a nossa.

Karnal: O catolicismo como experiência histórica estabelece uma parte importante desse discurso repressivo que torna o mundo um lugar difícil. É a opressão ao lado do discurso da misericórdia, dos orfanatos, de gestos heroicos e outro tipo de crítica, de uma albanesa que vai para Calcutá para trabalhar entre os mais pobres. Queria contar uma piada didática. Madre Teresa foi para o céu e no primeiro dia Deus a recebe e pede uma pizza. No segundo dia, Deus pede comida chinesa. No terceiro dia, Deus pede um sanduíche. Na sua infinita humildade e serviço ao Senhor, Madre Teresa diz: "Não quero reclamar, Senhor, mas não dá para a gente fazer comida aqui no céu?". E Deus responde: "Detesto cozinhar para dois (risos)". Então, aparentemente, esse céu é um lugar onde só tem a Madre Teresa (risos). Esse céu só permite pessoas como Madre Teresa, tão elevadas de espírito. É a única possibilidade, esse céu dessas pessoas tão elevadas de espírito. Quer dizer, é muito pouca gente que entende dessa forma. O inquisidor do *Irmãos Karamázov* tinha razão.

Padre Fábio: Mas há muitos que alcançaram essa elevação espiritual. São os que cavam o céu nas estruturas da história, vivendo hoje em dia a batalha espiritual que proporciona a purificação dos excessos. Teresa é, sem dúvida, um ícone de desprendimento, de beatitude alcançada mediante amor aos miseráveis. Ela descobriu a verdade, fez uma fecunda experiência da condição humana, e isso a santificou; isto é, a aprimorou, permitiu-lhe incorporar a vida de Cristo. A grande questão é que a elevação espiritual passa pela cultura. Não nos iludamos. A opção pela verdade não nos põe entre muitos. As estruturas que nos gestam superficializam muito mais que aprofundam. O viver para fora tem sido a regra que nos normatiza. E a verdade, definitivamente, não pode ser pescada no raso da vida. Na obra *A civilização do espetáculo*, Mario Vargas Llosa fala com muita propriedade sobre essa normatização. O viver para fora prevalece sobre o viver para dentro. A sociedade suprime aos poucos a produção cultural, substituindo-a pelo entretenimento. Nos contextos religiosos não tem sido diferente. Também estamos sorvendo o desafio de sobreviver em meio à superficialidade. Sendo assim, torna-se muito mais difícil alcançar o entendimento humano que Teresa alcançou. A superficialidade é uma oposição natural ao amadurecimento humano. Veja bem, eu não estou me limitando a falar de religião. Essas necessidades antecedem as escolhas religiosas. Nem mesmo os ateus estão desobrigados delas. Na superficialidade não experimentamos o autoconhecimento. E é a partir dele que tomamos posse do que somos. Ele nos possibilita identificar limites, possibilidades, e arregimentar uma espiritualidade comprometida com o amadurecimento humano.

Com essa estrutura social que nós temos, que muito desfavorece o cultivo interior, fica ainda mais difícil descobrir o autoconhecimento como experiência mística. Estamos envolvidos pela vida social. Eu não tenho como ser crente, um homem de fé, desconsiderando tudo aquilo que culturalmente está sendo oferecido, e que estou de alguma forma absorvendo. Eu, particularmente, fui educado para ler, embora tenha nascido numa casa onde somente eu estudei. Na minha família, ninguém teve acesso como eu tive à cultura, mas desde menino fui estimulado a buscar nos livros o que no meu mundo eu não encontrava. E tomei gosto pelos livros. Na literatura eu me encontrei. Li os clássicos. E por meio deles fiz terapia, tomei contato com minhas paixões, adentrei as ramagens da complexidade humana, esbarrei em Deus. Tive grande auxílio dos livros para viver o autoconhecimento. Agora, se você for ver hoje, as pessoas estão cada vez mais indispostas a um conhecimento mais consistente, que exige demora. O que as pessoas preferem ler atualmente? Resumos, resenhas, manchetes, conteúdo rápido.

Ano passado eu recebi uma informação de que os livros religiosos são os mais vendidos no Brasil. Num primeiro momento fiquei feliz. Mas depois pensei: não sei se podemos comemorar o feito. Por quê? Porque não basta receber a classificação de religioso. O texto, se não favorece a vida interior, o andar pelos caminhos de dentro, perde sua força transformadora, limita-se a ser um entretenimento, ou um convite a viver práticas pagãs. A literatura mística é sempre bem-vinda, porque ela nasce naturalmente das necessidades humanas. E ao tratá-las coloca o ser humano diante do Deus que o habita.

Karnal: Li com muita atenção Vargas Llosa, que é um conservador e faz um texto conservador sobre a cultura do espetáculo. Da mesma forma que nós, ao fazermos um livro para mais gente ler, evitamos um debate teológico conceitual. Evitamos falar de gnose, de hermenêutica bíblica, e queremos da mesma forma atingir mais pessoas. Mas eu reconheço que, numa época em que havia menos grupos de inteligência, havia mais sofisticação no debate. Nós pagamos um preço pela capilarização: qual é o custo de levar ideias a públicos maiores? Alguém poderia dizer que bom era o tempo em que a única música na igreja era o canto gregoriano, e não padres cantores (risos). Alguém poderia dizer que também há uma espetacularização, mas a minha geração foi marcada pelas músicas do Padre Zezinho. Cantar as músicas do Padre Zezinho, em suas diferentes fases, inclusive a fase mais social, latino-americanista, acompanhou a minha formação religiosa. Então eu não sou um crítico da espetacularização da cultura como eu seria um crítico talvez da redução da cultura a um núcleo muito pequeno. As igrejas e as fés também entraram no modo massivo. Provavelmente a universidade também.

Padre Fábio: Eu considero prejuízo quando identifico na literatura dita religiosa uma oposição ao que verdadeiramente a religião deveria favorecer: o encontro com Deus a partir de si. Ou que motive devoções que pairam no contexto da exterioridade, e que não se desdobram em vida interior. A vida interior deveria ser o resultado natural de toda religião. E ela é o resultado de uma busca pessoal, sobretudo. Jesus não se furtou a ficar com alguns poucos para momentos especiais. Ele salientou a necessidade de ficar sozinho, buscar um lugar que favorecesse o silêncio. E também teve os Seus momentos com as multidões. Particularmente acredito que a experiência com as multidões deveria ser apenas o incentivo para aquilo que se busca pessoalmente. Se não há uma busca pessoal por essa mística é muito difícil que o coletivo consiga oferecê-la. A multidão pode até me emocionar. Eu estou ali no meio, vivo a catarse que o rito proporciona, mas isso o futebol faz também. E se você for pensar, os estádios de futebol realizam rituais públicos muito semelhantes aos propostos pela religião.

Karnal: Aliás, os estádios de futebol têm uma raiz muito próxima à catarse religiosa...

Padre Fábio: Justamente. Mas as catarses dos estádios diferem das catarses religiosas, pois delas nós não esperamos mudança de vida, comprometimento com as questões humanas, amor, respeito, solidariedade. É por isso que eu insisto na experiência particular. É na solidão pessoal que as convicções se firmam. Se os ritos religiosos não favorecem essa experiência, perdem sua força.

Karnal: O mundo é inviável. A espécie humana é inviável. Somos egoístas. Quando somos caridosos é porque transformamos o egoísmo. Somos destruidores da natureza, somos monstruosamente assassinos. Matamos, torturamos... Por isso eu entendo a força das religiões. Elas mostram que, de fato, nós não temos condições, mas que haverá alguém que vai nos desviar desse destino quase impossível. Que, se não for o fracasso do planeta, será o meu fracasso com a morte. E aí entra de novo a questão narcísica: não posso aceitar que eu, que sou uma pessoa tão legal, vá morrer, desaparecer, virar pó. Então eu vou para um paraíso. Aí volto aos grandes ateus do século XIX, ou anticlericais como Renan: se os leões tivessem um paraíso, seria uma savana perfeita, onde as zebras correm. Para os islâmicos são as virgens. Para os católicos é a perfeita contemplação de Deus. Cada um negando o fato de que nós vamos desaparecer...

Gosto muito do antropólogo inglês Keith Thomas, que, em um livro chamado *Religião e o declínio da magia*, encerra uma reflexão sobre como a religião declinou como discurso público, especialmente a partir dos séculos XVII e XVIII. Eu acho que hoje as preocupações com a forma física substituem a anorexia do altar, que era clássica na Idade Média. Hoje nós temos a anorexia das passarelas. Eu acho que nós "ressignificamos", tal como Weber diz: se o homem clássico rezava antes de sair de casa, o homem moderno lê o jornal. E os dois têm uma função de abençoar seu dia. As religiões vão bem como instituições, mas o discurso religioso perdeu muito do monopólio como explicação do mundo e regulador social.

Padre Fábio: Você diz que somos inviáveis. Esse pessimismo não combina com você. Somos insuficientes, somos limitados, mas a vida virtuosa continua sendo possível à espécie humana. Quanto ao "declínio da magia", acho ótimo que tenha acontecido. O declínio das religiosidades que não se alicerçam na realidade é absolutamente favorável à reconstrução de uma experiência religiosa que possa nos oferecer amparo existencial, valores que repercutam positivamente na vida social.

Karnal: Eu só acho que nós estamos esbarrando numa incoerência técnica. As religiões vão muito bem, elas estão melhores hoje do que há cem anos.

Padre Fábio: Eu diria que o declínio é uma boa oportunidade para o amadurecimento. Encaro como uma feliz oportunidade de ressignificar o meu modo de ser padre para os dias de hoje.

Karnal: Eu entendo o que você diz, mas na década de 1960, com o massivo abandono de vocações sacerdotais, havia gente que perguntava se haveria Igreja na próxima geração. E era uma pergunta plausível.

Padre Fábio: Hoje os seminários estão cheios... Mas, se você conversar com os seminaristas, terá a oportunidade de identificar os que ainda permanecem indiferentes ao declínio da magia, adeptos de um catolicismo repleto de ritos neopagãos. Mas também encontrará os que buscam o retorno às origens, os que prezam conhecer com mais propriedade as questões humanas, os que não temem aqueles com quem Jesus preferencialmente quis estar. Eu creio que o declínio nos retirou do conforto iniciado por Constantino. As novas gerações não se prenderão às nossas titulações. Se não identificarem em nós uma coerência, elas não farão questão de nos ouvir.

Karnal: Quando eu era criança, havia poucas rádios religiosas. Passados quase cinquenta anos, hoje é difícil achar uma rádio que não seja religiosa. Se eu fosse um profeta, diria que as religiões hoje têm um futuro mais brilhante do que há algum tempo. Na década de 1960, muita gente se perguntou se as fés institucionais desapareceriam no Ocidente. A inquietação dos jovens foi para campos como a filosofia existencialista, o rock, para a mística oriental, a meditação daquilo que talvez eles interpretassem que fosse hindu ou budista. Em vez de ir para Jerusalém ou Roma, o destino era Catmandu. Eu acho que houve uma ressignificação do Ocidente urbano em relação a essas coisas. Mas hoje, num mundo destituído de sentidos, a ideia de religião é mais forte. Há exceções notáveis, como o declínio da cristianização em países como a Suécia.

Aliás, eu compartilho a ideia lacaniana de que no futuro talvez não tenhamos psicanalistas, mas com certeza teremos padres. Porque eu acho que o que a psicanálise luta para fazer em anos é o que um confessionário faz em minutos.

Padre Fábio: Concordo. A autoridade sacerdotal me permite grandes feitos. Um conselho assertivo pode libertar uma pessoa de um cativeiro afetivo. Uma absolvição sacramental pode desfazer um cesto de mágoas, ou desobrigar de levar sobre os ombros a culpa cruelmente atribuída. O exercício desse ofício requer preparo. Teológico, mas também humano. E aqui, a meu ver, está o grande desafio da Igreja nos dias de hoje: a qualificação sacerdotal. Muitos homens são ordenados padres sem que tenham condições para o ministério. E então o exercem de forma a comprometer a experiência de quem passa por eles. Vejo na Igreja a mesma crise que vejo em muitos outros setores da sociedade: o despreparo.

Karnal: Em qual sentido?

Padre Fábio: Intelectual, por exemplo. Antes as exigências eram maiores para se chegar ao sacerdócio. Já não faz parte da maioria dos seminários o conhecimento do latim, do grego. Pode parecer não ser importante, mas a não exigência dessas línguas veio acompanhada de uma mentalidade que a tudo procurou simplificar. Antes tínhamos cursos de oratória. Justificável. Um padre precisa saber falar em público. Hoje nem sempre há essa preocupação. A urgência pastoral não permite aos bispos uma seleção mais exigente. Há um grande número de paróquias necessitando de padres. E há muitos candidatos. A necessidade prevalece sobre a exigência. Ser padre nos dias de hoje não é uma tarefa fácil. Lidamos com uma sociedade mais crítica sobre nós. O despreparo é geral, mas a crítica não parte necessariamente de pessoas preparadas. O clero não desfruta mais daquele respeito natural que se ensinava no passado. Acabou a proteção cultural. Ela agora chegará pelo comprometimento com as pessoas. Se não identificarem em nós uma coerência pessoal, não nos dispensarão respeito.

Eu não fico esperando o mundo mudar. E tampouco lamento que a minha classe tenha deixado de desfrutar dos privilégios herdados pela educação religiosa que antes era mais rígida. Olho para o espaço que tenho e atuo. Seja onde for. Não me considero um forasteiro. Serei

Igreja aonde eu for, com quem ali eu encontrar. As questões humanas nos aproximam. Sofremos pelas mesmas causas, nos alegramos pelos mesmos motivos. A humanidade enfrenta uma grave crise de valores. Como padre eu posso contribuir. Acredito que antes das questões religiosas há uma realidade que carece ser resolvida. O nosso problema não é a falta de Deus. Enfrentamos é a falta de valores humanos, de educação, de conhecimento, de preparo, de solidariedade, tolerância. Quando o discurso religioso recai sobre um ser humano absolutamente carente de tudo isso, qualquer conversa passa a servir. É aí que entra a questão que você, Karnal, dizia antes. É um pequeno grupo. Porque o discurso que facilita a adesão nem sempre provoca o desconforto da vida interior. Religião como entretenimento. Ou como instrumento de alienação, que não gera mudança de mentalidade, inserção qualificada na vida social, senso de justiça. Religião é constante êxodo, deslocamento que me leva ao que já alcancei de mim para algo muito melhor. Essa é uma metáfora muito significativa. Ir para um lugar onde as exigências são maiores. Sair do lugar do meu conforto para ir a um lugar que me desafiará. Ledo engano pensar que a terra prometida seria o lugar do sossego para o povo de Israel. Ela era a metáfora do caminho, da busca, da conquista. Um caminhar que nunca termina.

O conhecimento não é isso? Um constante chegar e partir? Desconstruindo e reconstruindo. É assim que aprendemos, superamos paradigmas, assimilamos o novo. Não há outra forma de conhecer senão saindo do espaço onde você já está confortavelmente situado. Alguém pensa diferente de mim? Que bom! Ali tenho a oportunidade de confrontar o que já respondi sobre aquela questão. O outro me oferece o diferente. Posso firmar o que penso ou problematizar. E de repente podemos dar novos significados às nossas perspectivas, qualificando nossa atuação.

Mas, hoje em dia, as pessoas não estão muito dispostas ao desconforto do deslocamento. É natural que o discurso religioso que mais cresça seja o que negocia com Deus a solução de todos os problemas mediante pagamento de dízimo. Não é honesto apregoar que Deus fará por nós o que nos cabe fazer. Crer em Deus não nos desobriga de fazer o possível que nos cabe. Somente depois podemos esperar pelo impossível. Mas esse discurso não é atraente. Nem todo mundo está querendo assumir responsabilidades ou administrar consequências de escolhas infelizes. Pregar esse Deus que nos cobra as responsabilidades históricas não é simpático num contexto onde as pessoas estão tão despreparadas para serem quem são. Mais fácil é abrir uma igreja que prometa curar câncer, multiplicar dinheiro mediante barganhas com os santos, trazer o marido de volta...

Karnal: Voltamos ao cardeal do livro do Dostoiévski, que dizia: Se você oferecer coisas concretas, você enche as igrejas. Se você oferecer metamorfose de vida, conversão, no sentido etimológico da palavra, fica mais difícil. O espetáculo é mais fácil do que a luz interna. Porém é curioso que, duas vezes ao longo da sua fala, você, padre católico, desqualificou um pouco as medalhas e os símbolos. E eu, ateu, vejo um valor imenso na materialização das metáforas ou das metonímias. Por exemplo: eu morei em Paris e vi aquelas multidões de brasileiros na Rue du Bac comprarem uma medalha de Nossa Senhora Milagrosa e visitarem o corpo de Santa Catarina Labouré. Eu acho que a materialidade do humano está contida nas medalhas dos santos. A Igreja humanística me seduz, mas eu adoro as imagens, os santos, as peregrinações, as basílicas. Por quê?

Padre Fábio: Porque temos sede de sinais.

Karnal: Eu sei que aquilo é símbolo, uma metáfora e, por vezes, metonímia...

Padre Fábio: Mas você é um cristão-católico-ateu esclarecido. Cresceu no meio da simbologia cristã, estudou teologia e filosoficamente sabe diferenciar o símbolo do significado para o qual aponta. Nem todo crente tem a sua lucidez. Às vezes eu esbarro naquele crente que não é capaz de transpor o significado do símbolo, justamente por uma carência cultural. Um pouco de semiótica, teologia, filosofia, metafísica lhe faria bem.

Karnal: Você acaba de me acusar de ser cristão (risos). Vamos relevar o ataque... Voltando ao católico tradicional: por que ele não consegue ir além da materialidade? A materialidade não é o limite de sua fé?

Padre Fábio: Alguém o privou de saber que aquele significado, aquele símbolo poderia proporcionar uma outra forma de pensar aquele mesmo significado, ou melhor, de fazer uma experiência que ultrapassasse a materialidade do símbolo, colocando-o diante do mistério.

Karnal: Esta é uma crença otimista na espécie humana: todos podem, basta que você franqueie o caminho. Eu sou um pouco mais pessimista.

Padre Fábio: Há segmentos cristãos que se fundamentam nessa facilidade. Compre esta medalha e fique protegido. Tenha a Bíblia em sua casa aberta no salmo 90 e o diabo não se aproximará. Assim, fica fácil. É uma forma de reabilitar a compra de indulgências. Não há outro nome para isso. Creditar poder de proteção à materialidade de um objeto é praticar o paganismo que Jesus condenou.

Falta teologia, catequese para esclarecer o papel do símbolo. A pessoa prende-se ao símbolo e vive com ele uma experiência de idolatria, mas sem saber que o faz. Se não ressaltamos o desdobramento espiritual do símbolo, explicando que ele é apenas um sinal de uma parceria com Deus que se estabelece no interior do coração, mudando atitudes, transformando a mentalidade, então estamos sendo neopagãos. O que nos protege é o que cremos. São as nossas convicções que nos protegem, nos livram do mal.

Karnal: Eu tenho certeza disso, não discordo um milímetro. A minha dúvida é se as pessoas poderiam abrir mão dos símbolos, como o de usar uma aliança, por exemplo, que, na crença romana, é o círculo perfeito, que é usado no dedo anular esquerdo, que é o caminho ao coração. E onde está a sede da memória? Logo a aliança vai lhe lembrar que você está casado, isso é um símbolo? Quando você rompe um casamento, como já aconteceu comigo, a primeira coisa que você joga fora é a aliança.

Padre Fábio: Está certo, mas veja bem: privar a pessoa dessa belíssima explicação já não é um erro? Usa-se a aliança no dedo esquerdo e ninguém nunca disse isso que você me disse à pessoa que usa. E é isso que eu acho que falta no discurso religioso. Uma palavra que explique o antes do que fazemos. Ou que contextualize para facilitar a travessia, já que explicar o símbolo é empobrecê-lo.

Karnal: Eu acho que a arte, por exemplo uma imagem do Sagrado Coração de Jesus, é um signo aberto. E, sendo um signo aberto, pode ser interpretado de várias maneiras. Há quem veja a imagem e diga: meu santinho. Como minha avó, que tinha grande intimidade com as imagens: conversava com os santos como uma comadre recebe outra. Outra pessoa talvez, com a presença da imagem, recorde uma série de valores que deve seguir. E vai se tornar uma pessoa melhor graças ao símbolo material.

Padre Fábio: Com certeza.

Karnal: É um símbolo aberto. Dizem que, quando encontrou os escravos que chegavam à Bahia, o Padre Vieira pregou em latim para eles. Outro religioso comentou que aqueles homens eram escravos, ou boçais, como eram chamados no século XVII, e não falavam ainda o português. E o Padre Vieira teria respondido: é a palavra de Deus, algum efeito vai ter sobre eles. Essa crença mágica talvez fosse uma piada, mas é algo a ser pensado. Talvez os escravos se sentissem acolhidos ao ver o padre pregando em latim.

Padre Fábio: Adélia Prado defende isso. Ela diz que uma vez foi a um evento no Japão e as pessoas declamavam as poesias em suas línguas, e todo mundo se emocionava mesmo sem entender o que estava sendo dito. Para Adélia, a poesia tem uma linguagem própria, a entonação, a moldura que damos à palavra já transmite sentimento.

Karnal: Sou um grande estudioso de imagens e símbolos, sagrados em particular; e acho que, ao colocar a hóstia num tabernáculo que se assemelha a um cofre, ao manter uma luz acesa, você não está simplesmente dizendo: creia no dogma da transubstanciação da espécie. Você está dizendo metafórica e plasticamente que aquilo é importante. Eu tive um orientador espiritual, o Padre Benno Brod, de quem fui sacristão. Ele oferecia comunhão sob as duas espécies (hóstia e vinho) e algumas pessoas pegavam a hóstia, molhavam no vinho e sacudiam – e ia Jesus para todo lado. Eu, que era muito escrupuloso e pudico, ficava horrorizado. Mas o Padre Benno me dizia: Jesus devia ter pensado nisso quando instituiu a Eucaristia. Ele era prático, e eu não.

Padre Fábio: Particularmente também acho que a explicação do simbólico fragiliza sua força. Acho interessante quando a religião consegue incutir na pessoa a sensibilidade ao símbolo. Assim, ele não carece ser explicado e a gente se desprende um pouco dessa racionalização que fazemos de tudo, porque, sendo ocidentais, nós lamentavelmente temos a necessidade de racionalizar o tempo todo. Como padre enfrento esse problema diariamente. De vez em quando alguém me pergunta: "Como é o céu, padre?". Honestamente eu respondo: "Não sei, querido, porque eu ainda não morri. Estou na mesma situação que você, sem saber como é".

Veja bem, as pessoas estão ávidas por respostas prontas. Algumas querem detalhes do paraíso. Lamento, mas eu confesso que isso não me ocorre. A mim não interessa o que será, a mim interessa o que está sendo agora. E as minhas convicções religiosas são para me ajudar a viver o momento presente. O viver bem agora repercute na eternidade. Pronto. Isso já deveria ser o suficiente para nos mover. Tudo o mais é espera que vivemos sem pretensões. Não acho justo explorar a sensibilidade religiosa das pessoas para lotear e negociar a eternidade.

Karnal: Esse é o momento em que cai um raio e elimina o padre (risos)...

Padre Fábio: Mas eu falo isso publicamente... Eu tenho uma repulsa natural ao discurso religioso que tenha como pano de fundo um Deus mercador negociando os seus favores. Eu acho que isso é mesquinho demais para ser cultivado. É um desserviço à fé.

Karnal: Mas isso leva muita gente a crer, porque é o Deus mercador, e mercadores oferecem mercadorias que agradam aos clientes.

Padre Fábio: Sim, produz efeito. Muita gente gravita nessa visão mesquinha de Deus. Para algumas pessoas é assim que funciona. Deus é o mercador com quem se negociam diariamente milagres e favores.

Karnal: Aquilo próprio do humano de substituir a crença do rito pelo rito, ou substituir a fé pela sua materialidade. Quando eu era, como já disse, muito católico, eu era um "contabilizador" de indulgências com o sinal da cruz, o pai-nosso. Meu livrinho de orações dava a tabela do que cada gesto valia. Tinha bônus quando feito com água benta.

Padre Fábio: Sim, a água benta dava um plus.

Karnal: Tem um bônus, tem um *upgrade* do plano.

Padre Fábio: Veja bem, quando você utiliza uma linguagem humana, marcada pelo limite, para tentar trazer um significado que não cabe no tempo, é natural que nos percamos naquilo que pretendemos dizer. Não é fácil fazer a transição do símbolo, uma realidade temporária exterior, a uma realidade atemporal interior.

Karnal: Quando você celebra uma missa você usa alva, cíngulo, estola?

Padre Fábio: Sim.

Karnal: Casula, tudo?

Padre Fábio: Sim.

Karnal: Quando você usa os paramentos da missa, você se sente diferente? Eu tenho uma teoria de que quando quero escrever um bom texto, eu me arrumo. A teoria veio da minha orientadora que se vestia bem para fazer um texto complexo e sofisticado.

Padre Fábio: Fazia efeito?

Karnal: Ela diz que como nós somos humanos, a cenografia é prática. Já vi padres de camiseta em missas, já vi dom Pedro Casaldáliga com chapéu de vaqueiro no lugar de mitra, e já vi bispos que lamentam a ausência do manípulo, que é uma parte do paramento litúrgico católico que entrou em desuso. Somos materiais, mas a pergunta é mais ampla: A religião não responde exatamente a essa incapacidade de abstração que domina as pessoas? Eu quero dizer, não é sempre simples quando eu estou dando uma aula e digo para um aluno que o Partido Nazista se chama Nacional Socialista, mas que ele não é de esquerda, é de direita, mesmo se dizendo socialista; assim como cavalo-marinho não é cavalo. Peixe-boi não é peixe nem boi. É um mamífero de rio. Tem gente que não consegue separar o nome da coisa em si.

Padre Fábio: Sim, o limite está por toda parte. E agora o vemos mais, porque as pessoas estão mais expostas. No meu espaço celebrativo, eu faço questão de que a simbologia seja preservada. Mais que isso, que ela favoreça a travessia. Do material que vemos ao imaterial que nos espera. Mas eu também tenho o espaço catequético. É nesse momento que o esclarecimento pode acontecer. A pregação me proporciona refletir sobre o que celebramos. E não são poucas as vezes em que eu me utilizo desse espaço para falar sobre a profundidade da simbologia cristã. Pode parecer primário, mas não é. Estamos cada vez mais deselegantes, sem cerimônias. Vou regularmente aos grandes santuários católicos. Fico assustado com a falta de reverência aos lugares santos. Ando com peregrinos pelo mundo afora. Muitos adentram o espaço religioso da mesma forma como adentram um mercado de especiarias.

Karnal: Sem distinção do sagrado e do profano.

Padre Fábio: É, falando alto, sem nenhum respeito ao espaço religioso. Os celulares que fotografam, as máquinas filmadoras mudaram radicalmente o comportamento humano. O foco deixou de ser a experiência mística e passou a ser, para muitos, a fotografia que faremos. Acho que isso também pode ser analisado como uma perda cultural, falta de educação. Não passa pelo religioso somente.

Karnal: Acho que o momento mais difícil é entrar no Santo Sepulcro e a pessoa estar fazendo *selfie*.

Padre Fábio: Justamente. A pessoa tem menos de um minuto para ficar dentro do Santo Sepulcro, e ela escolhe ficar tensa, tentando fazer uma *selfie*. E, às vezes, quase apanha do sacerdote ortodoxo que cuida do local, pois lá é proibido tirar foto. Se a pessoa tem uma foto dentro do Santo Sepulcro, já sabemos que ela negligenciou uma regra. Eu, inclusive.

Eu me decepciono cada vez mais com a Terra Santa. Tenho ido todos os anos. Nos lugares mais procurados eu percebo nitidamente que o significado religioso já se deslocou para uma espécie de disputa política, territorial, onde o poder é muito mais importante que o zelo pela mística, pela preservação da memória que nos ajuda a rezar.

Karnal: Eu, por outro lado, fui mais de uma vez a Belém, porque estava com uma menina particularmente católica, por sinal, da família de Frei Galvão. Ela tem sangue de santo na família, e ao ver a estrela de prata em Belém, de 14 pontas, se ajoelhou. E o padre supervisor mandou ela sair logo. Ela perguntou se não poderia rezar no local em que Jesus teria nascido. Não, não dá tempo... os turistas... a fila...

Padre Fábio: De todos os lugares santos a que eu fui, Belém é o mais conturbado. Certa vez eu tive, no interior da gruta onde está a estrela, uma experiência lamentável. O sacerdote responsável pela fila brigou com um visitante. Socos e pontapés diante de todos. No Santo Sepulcro também presenciei um franciscano ameaçando uma senhora com uma vassoura.

Karnal: Porque o espaço do sepulcro é cuidado por várias denominações...

Padre Fábio: Se eu vou a um lugar sagrado, é natural que eu queira perceber a sacralidade do que ali aconteceu.

Mas, se a simbologia já foi tragada por outros interesses, dirimida por atitudes humanas que contradizem a mística que o lugar propõe, deixa de fazer sentido estar ali. Há muito mudei a minha forma de estar na Terra Santa. Continuo indo, levo peregrinos, mas faço questão de salientar que será sempre um desafio espiritual encontrar por ali o santo da terra.

PARTE 5

Se Deus não existe, tudo é permitido?

Padre Fábio: A crença pode ser muitas vezes fruto da liberdade, ou, às vezes, ela pode ser resultado justamente da prisão.

Karnal: Como assim?

Padre Fábio: Eu posso muito bem experimentar a liberdade porque creio, mas também posso ser cativo porque creio. Então será sempre um desafio identificar se minha fé favorece ou compromete a minha liberdade interior. Esse tem sido muitas vezes um ponto por onde passa minha reflexão. Eu não tenho paróquia. Portanto, não exerço o pastoreio presencial. O meu trabalho atinge pessoas que nunca estiveram pessoalmente comigo. Nosso encontro nem sempre é físico, a não ser que a pessoa vá a um show, uma palestra, um retiro conduzido por mim. Ser um padre que se ocupa essencialmente da comunicação permite-me pastorear através da reflexão. São as pessoas que pensam comigo. É o pastoreio das ideias, que só é possível porque em algum momento se estabeleceu entre mim e aquele que me ouvia uma autoridade afetiva, espiritual.

Muito mais que ouvir pedidos de oração, ouço solicitações de esclarecimento. Então acabo tendo acesso ao foro íntimo de muitas pessoas. Nessas oportunidades, eu identifico muitos condicionamentos de fé, mas que estão ligados a outros condicionamentos. Condicionamentos sociais, intelectuais, culturais, por exemplo. A pessoa nasceu num determinado lugar, acreditou em Deus a partir da experiência de outras pessoas, de elementos culturais que lhe foram oferecidos. Nem sempre as pessoas tiveram contato com uma hermenêutica esclarecedora dos textos bíblicos. Acreditaram a partir de interpretações equivocadas, marcadas por um literalismo que as privou de chegar ao contexto original do texto, e consequentemente ao significado que ele pode oferecer nos dias de hoje. Se colocadas diante de Deus sem o determinismo dos condicionamentos, a experiência de fé torna-se salutar.

Tenho uma convicção. Quanto mais a minha fé em Deus me colocar na direção do eixo existencial, fazendo--me tomar contato com minhas possibilidades e limites, muito mais eu terei condições de alcançar a liberdade interior. Liberdade enquanto oportunidade de escolher os caminhos que me levam à minha verdade pessoal, ao centro do meu ser. Liberdade enquanto conjunto de escolhas circunstanciais que repercutem em minhas escolhas essenciais, e vice-versa, firmando-me na posse do ser que sou. Veja bem, quando a fé não se descredencia do processo de maturidade humana, ela favorece o ser livre. Mas quando é desvinculada desse processo, limitando-se a ser um caminho que passa ao largo das questões que nos esclarecem sobre nós, é bem provável que ela passe a oferecer impedimentos à liberdade, pois não pode ser livre aquele que não se conhece. A fé em Deus nos coloca naturalmente numa rota de autoconhecimento.

Karnal: Não tem frase mais simpática do cristianismo do que a ideia de Santo Agostinho: "Ama e faz o que quiseres". Acho que não é à toa que o símbolo de Agostinho é um coração em chamas na mão, como no quadro de Philippe de Champaigne. Mas essa coisa de "ama e faz o que quiseres" parece se opor à tradição religiosa. Quer dizer: se você errar, erre por amor. Isso é muito bonito.

Eu sou muito influenciado, como parte da minha geração, por Jean-Paul Sartre e pela ideia de que não existe um roteiro. Não existe um código. Eu li muito sobre existencialismo em determinado momento da minha vida e percebo a angústia da liberdade. Angústia de não haver código validador universal. Se eu decidir que devo ser ético, tenho que procurar essa ética em mim. Mas não há um ser, um princípio. Como Sartre exemplifica no livro *O existencialismo é um humanismo* – que é praticamente um panfleto de divulgação das suas ideias –, quando ele dá o exemplo de uma menina que está em dúvida sobre o aborto. Se ela procurar alguém favorável ou não, ela escolhe o conselho contrário, como todos nós. Sempre somos livres na interpretação dos sinais do mundo. Se o sinal não me agrada...

Padre Fábio: Haverá outro.

Karnal: Certamente ela terá outro conselho. Mesmo quando sigo o decálogo, estou escolhendo; e mesmo que o decálogo não tenha sido dado por mim, mas pela tradição judaica, adotada pela igreja cristã, eu estou tornando aquilo meu, mas continuo sendo livre na escolha. Então, voltando a Dostoiévski, à existência de Deus, a regra agostiniana do "ama e faz o que quiseres" estabelece uma essência a essa existência. E eu só posso existir, como ser livre, se existir antes de ter essência. Quando você diz eu não sei o que vem depois, você está quase que negando a escatologia clássica, que diz em detalhes o que vai ser. Vai ser o que você construir, sua vida será o que você construir. Isso gera um grau de angústia e liberdade muito grande.

As religiões oferecem um sistema completo de significação e trazem todas as respostas. Já tocamos no tema ao longo da conversa. Poucas coisas são tão confortantes quanto um catálogo de respostas prontas. A frase de Santa Teresa "Só Deus basta" é algo de duplo sentido. Só Deus atende plenamente aos meus anseios, claro, mas Deus encerra a dúvida, Ele basta.

Esse talvez seja um ponto fundamental na questão do ateísmo: a minha liberdade é terrivelmente vasta e terrivelmente livre. E é por isso que, em geral, os ateus não são muito tranquilos. De fato, é angustiante não ter uma referência absoluta. Em Paris existe, fundido em metal nobre, aquele objeto que define o valor exato do metro no sistema métrico decimal. Trata-se do "metro de Paris", a forma física de todos os metros do mundo. Deus é o metro do mundo, então não tendo aquilo, não tendo Jesus dizendo "Eu sou o Alfa e o Ômega", eu posso inventar o alfabeto que eu quiser, que pode ter princípio, pode ter fim. Mas ao mesmo tempo não é fácil. O cardeal de Dostoiévski dizia que a religião de Jesus é para poucos. Eu acho que o ateísmo é para menos gente ainda.

Voltando a Sartre, aceitar o absurdo da existência, o fim de tudo com a morte e a liberdade radical que é o ateísmo, liberta, mas dificulta existir.

Padre Fábio: Porque não diminui o desconforto da existência.

Karnal: É isso: não tem nada que garanta que a minha escolha seja a correta. Isso é difícil. Mas, ao mesmo tempo, eu considero fruto do medo, da infantilidade ou da falta de autonomia de pensamento eu adotar um método, que é aleatório, apesar de se dizer absoluto, que é a religião. Já que eu não consigo me sentir seguro, vou ser religioso. Não!

Para dar um exemplo bobo... eu passei toda a infância tratando pé chato. Usei bota ortopédica por anos. Recentemente, ao tratar um problema no pé, falei para o médico que tive pé chato. Ele falou que hoje em dia isso não existe mais, que não se acha que o pé seja chato, é uma característica. Seria como tratar olho claro. É uma característica de um certo tipo de ser humano, mas na minha época me tirou do Exército. O pé chato me tornava inapto a servir o governo.

Padre Fábio: Foi bom...

Karnal: Nossa, uma maravilha... O que eu estou dizendo? A crença que determinava se havia pé chato ou não me levou a fazer um tratamento. Se existe a regra religiosa dada, por exemplo, no Evangelho, eu perco a liberdade. Para começar, por exemplo, por essa questão do matrimônio, quando Jesus recusa a regra mosaica do divórcio. Como é que posso crer que eu deva morrer com a mesma mulher porque alguém no século I disse que tinha que ser assim? E se Moisés, mais de mil anos antes, tiver dito que há condições para repudiar uma mulher e casar de novo?

E se surgir um outro que... quer dizer, quem vai dizer se eu devo ou não morrer com a mesma mulher? Eu e ela, provavelmente, para sermos justos. Então, esse é para mim o obstáculo na religião. É claro que eu posso pensar, filosoficamente e do ponto de vista religioso, que se eu fui feito à imagem e semelhança de Deus, Deus é a única coisa que não me limita porque Ele é a minha essência. Então, como diria Teresa, de novo, só Deus basta.

Se é assim, eu posso pensar que todas as outras coisas, por não serem a mesma essência – dinheiro, poder, sexualidade –, não contêm a minha essência. Elas me escravizam e Deus me liberta, por isso a entrega a Deus não seria um escravismo, mas uma libertação, porque eu sou a imagem e semelhança de Deus. É bonito como princípio, mas é difícil...

Padre Fábio: É um tornar-me eu no Deus que me habita. Eu me transformo Naquele que já sou em essência. Deus em mim, mais íntimo que a mim mesmo, como sugeriu Agostinho. A vida cristã é um processo que me revela a deidade que me habita. E quanto mais eu mergulho nessa divindade, muito mais me liberto das amarras que me oprimem.

Karnal: É uma boa solução, mas tomemos, por exemplo, João 8,32, minha passagem preferida: "E conhecereis a verdade, e a verdade vos libertará". Se nós disséssemos conhecereis *uma* verdade, e essa será a sua, é diferente de conhecer *a* verdade...

Padre Fábio: Mas diz isso...

Karnal: A frase é "a" verdade, e não "uma" verdade...

Padre Fábio: Mas eu acredito que preciso tornar-me...

Karnal: O apóstolo João estava errado? Sempre quero arrastá-lo para o Santo Ofício...

Padre Fábio: Tornar-me quem eu sou. O vir a ser. Já sou, mas ainda estou me tornando. O todo já me foi dado. Agora é desenvolver. Só no exercício da minha liberdade Deus terá a oportunidade de ser absolutamente único em mim. O que sou com Ele é radicalmente diferente de todas as outras criaturas. O que dEle revelo ao mundo é diferente do que você revela, porque a sua idiossincrasia é fruto dos efeitos de Deus em sua vida.

Karnal: Você não é um herege, você é um sofista!

Padre Fábio: (Risos) Eu gosto da reflexão cristã sobre a liberdade. Não preciso abrir mão do bom senso para nela crer. A liberdade enquanto uma meta. Eu não me sinto menos honesto intelectualmente por acreditar que posso ser livre. Li Sartre e acredito também no conflito que é ser livre. Não é fácil, ele tinha muita razão nas suas angústias.

Karnal: E nem por isso foi feliz.

Padre Fábio: Se foi, não fez questão de demonstrar.

Karnal: É porque ele era francês, antes de ser feliz.

Padre Fábio: Eu tenho prazer em ler a carta que Paulo escreveu aos gálatas. Acredito que seja um belo resumo da proposta de Jesus. É um alerta ao risco de que a comunidade retrocedesse, de que se desprendesse do eixo evangélico que colocava a lei inscrita no coração acima da lei que até então eles traziam amarrada ao corpo. É uma

"Quando passei por risco de morte, fiquei curioso se eu apelaria a uma oração, como numa aterrissagem forçada na África. Não aconteceu. Quando vi meu pai num caixão, também imaginei que seria um momento no qual a fé poderia tentar voltar, como memória daquele homem tão católico que eu amava. Não rezei e tive a certeza de que ali se acabava tudo."
Karnal

metáfora corajosa, significativa, que coloca a tradição judaica sob uma nova hermenêutica. Cristo é a lei inscrita no coração. Ele deveria nortear as escolhas, os caminhos. A carta tem um motivo. Paulo temia que alguns cristãos judaizantes, ávidos por retomar as regras, perturbassem a compreensão da comunidade. Aquelas pessoas estavam dando os primeiros passos nessa liberdade que hoje posso desfrutar teórica e praticamente. Por que havia o risco do retrocesso? Porque não é fácil aplicar a proposta de Jesus. Ela é naturalmente transgressora. Coloca o centro da decisão no

"Ateus são homens e mulheres que não viram sentido nas crenças religiosas. Mas nem por isso estão dispensados de viver a busca que pode torná-los pessoas melhores. Antes de sermos crentes ou ateus, somos humanos. Padecemos dos mesmos conflitos e nos alegramos pelas mesmas causas [...]. O nosso problema não é a falta de Deus. Enfrentamos é a falta de valores humanos, de educação, de conhecimento, de preparo, de solidariedade, de tolerância."
Padre Fábio

ser humano. Ele já havia demonstrado isso junto aos discípulos, quando viveu os embates diante das questões que envolviam o sábado. Mas não é simples viver numa comunidade onde esse senso de liberdade é comum a todos. O caminho mais fácil é normatizar, escrever na tábua o que deve e o que não deve. Mas em Jesus há ensinamentos de sobra para entender que muitas vezes o certo é fazer o que é errado. Certo porque é o que diz o coração, mas errado porque não é o que prescreve a lei. Curar uma pessoa num sábado era proibido por lei. Mas negar a cura também não nos parece justo. E assim nasce a lei inscrita no coração, a liberdade interior que nos permite fazer o errado, sabendo que estamos fazendo o certo.

Volto a dizer. É difícil liderar uma comunidade livre. Não é fácil ser pai de uma criança livre. É penoso ser professor de um grupo de pessoas livres. Então é muito mais fácil estabelecer as regras. Também não é desafio pequeno manter a sentinela da verdade pessoal. É muito fácil eu abrir mão de ser quem sou para me tornar o que os outros desejam que eu seja.

Karnal: Adaptação.

Padre Fábio: Sim, uma adaptação que pode custar minha vida. Não posso me privar do autoconhecimento. Para mim ele é uma experiência religiosa. Tenho falado muito sobre isso porque, para mim, não há uma separação. Autoconhecimento e vida mística são a mesma coisa. Dê o nome que quiser. Espiritualidade, religiosidade, tudo aponta para a vida interior que nos coloca em contato com o Deus que nos habita, e com o ser que somos.

Da experiência mística à experiência do autoconhecimento. Ou o contrário. O fato é que por meio dessa investigação eu posso chegar ao conhecimento desse homem que sou em potencial, e livremente buscar uma atuação que me coloque na possibilidade de minimizar as consequências do que é adâmico em mim. E, na experiência de fé, eu tenho essa vocação crítica que me permite olhar para o super-homem de Nietzsche, mas não como uma fuga, como um projeto que me anima, me faz ir adiante. Cristo é o homem glorificado. Nele eu tenho os meus olhos. Ele me antecede, me acompanha e continua depois de mim. Ele está em mim, essência que precede tudo o que sou. Ele está na liturgia, na teologia sacramental na qual nascemos criaturas e recebemos a nova condição através do batismo. Essa simbologia nos ajuda a pensar. Mas ela não pode colocar amarras no mistério. Deus age como e onde quer. Tornou-se humano, tornou-se possível, ali existe uma possibilidade de Deus estar manifesto por meio daquela pessoa, de agir pelos seus braços, de pensar pela sua cabeça, de ver o mundo pelos seus olhos. Uma forma única de oferecer a Deus essa presença.

Karnal: Acho que o próprio Nietzsche, ao dizer "Torna-te quem tu és", acredita, no fundo, que exista algo que você seja, uma essência prévia que você precisa descobrir. Sartre me lança num mato sem cachorro e sem bússola.

Padre Fábio: Que nem sempre a gente é livre para alcançar, não é? Você pode ter mil obstáculos privando-o de ser quem você é. E que entra num campo que é a definição de liberdade. Eu gosto da pergunta de Voltaire, no *Dicionário filosófico*, no verbete "liberdade": "Eis uma bateria de canhões que atira junto aos nossos ouvidos; tendes a liberdade de ouvi-la e de a não ouvir?". Quer dizer, fala que essas liberdades também são limitadas. Que é a frase citada por Ortega y Gasset: "Eu sou eu e as minhas circunstâncias".

Karnal: A própria demanda por liberdade talvez seja outro sinal histórico. Porque em muitos momentos da história, em muitas religiões e na própria essência da palavra, Islã é a submissão. Você só se realiza como ser humano se você se submeter. Por que Ibrahim (Abraão) é um símbolo, para os islâmicos, de um homem de fé? Porque há dois momentos nos quais Deus muda a vida dele: "Sai da tua terra, da tua parentela e da casa de teu pai, e dirige-te à terra que te indicarei!"[11] – ele não responde: "Agora? Tenho 75 anos, não... por que não falou antes?" (risos). Ele pega Sara e vai. Depois: "Toma Isaac, teu filho, teu único filho...".[12]

Padre Fábio: E sacrifica...

Karnal: Ele também não questiona. Logo ele se submete à vontade perfeita de Deus. Que, para o islâmico, liberta; porque é a vontade certa. Para grande parte dos cristãos, também.

Padre Fábio: No momento em que Abraão volta atrás, vejo o primeiro reflexo do Novo Testamento.

Karnal: Quando ele volta atrás? Quando o anjo segura a mão?

---

11. Cf. Gênesis 12,1.
12. Cf. Gênesis 22,2.

Padre Fábio: Quando ele percebe que há uma discrepância entre o Deus que ele conhece e aquilo que ele está entendendo que Deus tenha pedido a ele.

Karnal: Adoro Kierkegaard fazendo variações para essa história.[13] Que engata vários finais diferentes. Em um deles, Abraão, para fazer com que Isaac não odiasse Deus, diz para Isaac: "Deus mandou preservá-lo, mas eu quero matá-lo".

Padre Fábio: Vi essa abordagem numa obra de Queiruga.[14]

Karnal: E o outro final, ainda mais divertido, é que Abraão não mata Isaac e voltam para casa, mas toda vez que Abraão pegava uma faca para passar manteiga, Isaac... (risos). O problema é que Abraão é muito forte, aí Isaac fica apagado. Jacó, o terceiro patriarca, é mais vivo.

Padre Fábio: O momento em que Abraão toma consciência de que aquilo é um absurdo, que Deus jamais lhe pediria tamanha crueldade, Deus começa a ser retirado do equívoco que o colocou nos campos de batalha. O Deus que em Jesus se senta à mesa com os miseráveis me parece mais sensato, mais sublime, mais justo. Em Abraão, a humanidade iniciava essa transposição. É claro que ainda não a terminamos, mas estamos caminhando. Às vezes, retrocedemos. É muito comum ver Deus sendo usado como justificativa para o ódio, a xenofobia, a intolerância. Para muitos não é problema

---

13. A obra em questão é *Temor e tremor*, escrita em 1843, sob pseudônimo, pelo filósofo dinamarquês Søren Kierkegaard (1813-1859).

14. Andrés Torres Queiruga, na obra *Do terror de Isaac ao Abbá de Jesus*, 2001.

algum continuar colocando esse Deus à frente das batalhas. Um Deus que vai perseguir os nossos inimigos por nós. Eu não consigo admitir um Deus assim. Eu não tenho coragem de enfrentar a minha assembleia com um discurso desse. Tenho uma nítida sensação de que estou motivando o ódio, de que estou quase que justificando as atrocidades que hoje se cometem pelo mundo afora.

O momento dessa transição é interessante. Para mim é o desafio de todo tempo. Pensar nos territórios do Antigo Testamento que ainda existam em mim e fazer essa transposição. Todas as minhas tendências adâmicas, tudo aquilo que de alguma forma me expõe miserável, o meu ciúme, a minha vaidade, à medida que eu vou tomando consciência disso, vou ficando mais livre para ser ou não. Ou até mesmo para questionar: até quando vou permitir que isso se estenda em mim? O ódio é assim, não é?

A análise que Sêneca faz sobre a ira é muito pertinente. Eu não posso evitá-la, mas posso impedir que cresça quando se manifesta. Tenho a oportunidade de escolher se eu quero ou não continuar alimentando a ira que me visita. Em Sêneca eu descubro um exercício cristão. Eu não tenho como evitar a ira. Mesmo sendo cristão, a ira vai me ocorrer. Mas o que farei com ela é um exercício de liberdade. Eu reconheço a essência que já está em mim, naturalmente reconheço a essência que está em você, e a reverência a essa essência prevalece. E eu amordaço, de alguma forma, a minha tendência a querer sacrificar Isaac.

Karnal: Que para os islâmicos não é Isaac, mas Ismael.[15] É curioso que para eles não é o filho de Sara, mas o

---

15. Cf. Gênesis 16.

de Agar. Aliás, o que eu mais gosto no Antigo Testamento é a humanidade das pessoas. É Sara com inveja da escrava, é a mãe favorecendo um filho e não o outro na venda da primogenitura, no episódio de Esaú e Jacó.[16]

Padre Fábio: Tem também aquele irmão que manda a irmã fazer os bolinhos para depois querer seduzi-la, fingindo estar doente.[17] Gosto muito do livro de Tobias, eu acho aquilo de uma humanidade incrível.

Karnal: É apócrifo, mas deu origem ao arcanjo Rafael.

Padre Fábio: O cachorro, os detalhes do rabo balançando. Você já leu? É cheio de humanidade, o cachorro que fica na porta abanando o rabo. O escritor sagrado achou importante registrar isso.

Karnal: Eu gosto de Abraão oferecendo a mulher ao Faraó...[18]

Padre Fábio: Desse jeito vamos fundar uma religião. Só baseada nos textos em que a humanidade prevalece nua e crua (risos)...

Karnal: Eu sou bom na pregação... mas acho que o que me alegra na Bíblia é o realismo dos personagens. Quando leio obras sobre a vida de Jesus, várias, inclusive a do Plínio Salgado, que tem uma excelente cena da Ascensão, penso no humano de todos. Exemplo: Jesus sobe a Jerusalém (a cidade sagrada fica no alto). Ele foi tantas vezes, viu tantas vezes mercadores no Templo e quando Ele vira as mesas e expulsa os vendilhões, Ele já está irritado há 33 anos...

---

16. Cf. Gênesis 25,28-34.

17. Cf. 2 Samuel 13.

18. Cf. Gênesis 12,10-20.

Padre Fábio: Já viu aquilo tantas vezes...

Karnal: É... desde que Ele se perdeu no Templo, e deve ter ficado um tempo no meio dos mercadores, Ele foi se irritando com aquilo e perto de morrer disse: bom, agora chega!

Padre Fábio: Chega!

Karnal: E ele vira as mesas...

PARTE 6

Ter fé faz falta?

Padre Fábio: Deixe-me fazer uma pergunta complexa: Você sente falta da fé?

Karnal: Como eu vou muito à China, uma vez me perguntaram se a liberdade fazia falta aos chineses. E eu perguntei: Será que trufas negras fazem falta aos homens simples que nunca as experimentaram? Como é que você pode, no caso da China, sentir falta do que nunca teve? Isso é bom para explicar a liberdade na China. Não é bom no meu caso, porque eu já tive fé, então é metáfora incompleta. Eu não sei responder com exatidão...

Padre Fábio: Mas o horizonte de sentido, a sua opção pela vida intelectual, seu apreço pelas artes tornam sua vida tão cheia de transcendências...

Karnal: Com frequência eu sou acusado de ser um falso ateu. De ser um ateu cheirando a incenso. Minha simpatia pela religião leva muitos a duvidarem do meu ateísmo. Do fundo da minha consciência, sinto que não existe nada daquilo que as pessoas identificam como Deus. Curiosamente, eu me aproximo dos que praticam o que se chama de teologia apofática, a teologia da negação. Deus não existe, dizem muitos místicos, porque existir é próprio dos seres, Deus não é. Quando estou menos inclinado a sutilezas e alguém me irrita desafiando: prove que Deus não existe; eu afirmo: prove primeiro que unicórnios não existem. Normalmente evito ser grosseiro, mas catequistas são chatos.

Padre Fábio: Você exercita muito a sua capacidade de reflexão. Vive beirando a terceira margem, como sugeriu Guimarães Rosa, a parte do rio que é puro mistério. Porque se você tivesse um cotidiano mais duro, menos permeado de reflexão, creio que você não suportaria o seu ateísmo. Sua sensibilidade é muito aguçada às questões humanas.

Karnal: Você lembra da igreja do diabo do Machado, não é?[19] Quando o diabo decide fundar a igreja só com pecadores e os pecadores começam a praticar virtudes secretamente. Eu tenho várias características que foram moldadas pela prática religiosa. Desde exercícios de mortificação, como acordar às 4h da manhã.

Padre Fábio: A disciplina que você aprendeu no seminário...

Karnal: Eu não sinto vontade nem falta, por exemplo, de rezar. Aí alguém vai dizer: Você não passou por momentos difíceis... Eu passei por situações de risco em que eu testei isso. Eu aterrissei de emergência no Senegal, com uma turbina em chamas. Aterrissar de emergência é sempre difícil, mas num aeroporto pequeno, em

19. "A igreja do diabo", conto de Machado de Assis que retrata a tentativa do demônio em ter sua própria igreja e, com o tempo, a assembleia de pecadores começa, escondida, a praticar o bem. Deus diz que é a natureza humana: fazer o contrário.

Dakar, com a turbina em chamas, é assustador. Eu fechei os olhos e pensei, agora vamos ver o que acontece. Meu pai tinha um quadro no escritório com uma indulgência adquirida em Roma, chamada de *in articulo mortis*, com a imagem do Papa João XXIII abençoando. Dizia que qualquer membro da família Karnal, quando pronunciar o nome Jesus na hora da morte, recebe uma indulgência plenária, ou seja, perdão de todos os pecados.

Padre Fábio: Vai confiando...

Karnal: Vai confiando... O que ligares na terra está ligado no céu. E eu sempre imaginei que quando estivesse para morrer eu usaria essa indulgência... *just in case*, né? É aquela aposta de Pascal, vai que...

A outra ocasião em que eu achei que voltaria a esse eco foi na morte do meu pai. Ver o pai no caixão é uma experiência terrível.

Padre Fábio: É, terrível.

Karnal: Ainda mais dada a enorme semelhança física do meu pai comigo, ou a minha com ele.

Padre Fábio: Emmanuel Levinas sugeriu que, na morte do outro, nós experimentamos um pouco de nossa morte também.

Karnal: E não rezei naquela ocasião, então...

Padre Fábio: Ah, mas...

Karnal: Eu não sei o futuro, eu não sei o futuro...

Padre Fábio: Eu também, eu sou padre e nem sempre fui adepto dos métodos tradicionais de oração.

Karnal: O que seriam os métodos tradicionais?

Padre Fábio: Todo e qualquer rito que comumente as pessoas chamam de oração. Uma oração comunitária, por exemplo. Já participei ativamente de grupos de oração. Fazia como todos, cantava, repetia, mas não sentia que verdadeiramente rezava. Deus me falava por meio de outras vias. Certa vez, quando morava em Belo Horizonte, descobri um CD de poemas da Adélia Prado declamados pela própria autora. Eu estava dirigindo o carro e precisei estacionar. Fui tomado subitamente pela certeza de que Deus invadia a minha alma através daquela voz de mulher emoldurada por um quarteto de cordas. Você já ouviu esse CD?

Karnal: Sim...

Padre Fábio: O CD é um registro do livro *Oráculos de maio*. Aquilo me arrebata sempre que ouço. Eu não sei explicar, mas sou assim desde menino. A arte me toca profundamente. É por meio dela que vivo as minhas experiências místicas mais fecundas. A simbologia cristã sempre me tocou mais do que as palavras. Eu ia à igreja com minha mãe e ficava fascinado com os altares barrocos da nossa igreja matriz Paróquia São Vicente Férrer. As paredes me falavam mais sobre Deus do que as pregações dos padres. O órgão, a música, tudo sensibilizava minha alma. Hoje não é diferente. E não preciso estar dentro de uma igreja para que isso aconteça. Às vezes estou vendo uma peça de teatro ou um filme sem nenhuma conotação religiosa e aquilo me toca, me emociona e me arrebata. A beleza da trama que envolve os humanos me joga para dentro de mim. Talvez por isso eu compreenda tanto os que me dizem não saber rezar, ou os que não se identificam com os métodos tradicionais de oração.

"Quanto mais a minha fé em Deus me colocar na direção do eixo existencial, fazendo--me tomar contato com minhas possibilidades e limites, muito mais eu terei condições de alcançar a liberdade interior. A fé em Deus nos coloca naturalmente numa rota de autoconhecimento."
Padre Fábio

Eu tenho um amigo no Sul, um grande compositor, cantor e excelente ortopedista. Um moço de sensibilidade rara. Ele não tem absolutamente nenhum vínculo com a Igreja Católica quando o assunto são os ritos formais que nós temos. Não se identifica com eles. Mas é católico, é cristão. Porém, a nossa forma de rezar não o toca. Mas ele não desiste. Participa, acredita no mistério da Eucaristia, compõe maravilhosamente sobre ela. Mas já assumiu sua diferença e faz sua busca pessoal. Ele não se priva de ter Deus só porque não consegue rezar de acordo com os ritos católicos. Não limita sua fé ao sentir. Mas não nega ter dificuldade com a estrutura ritual litúrgica da Igreja.

"Quando não estou inclinado a sutilezas e alguém me irrita desafiando: prove que Deus não existe, eu afirmo: prove primeiro que os unicórnios não existem. Normalmente evito ser grosseiro, mas catequistas são chatos."
Karnal

Encontro muitas pessoas assim pela vida. E nós precisamos fazer mea-culpa. Nem sempre nossas celebrações favorecem a vida interior. Às vezes, por excesso de necessidade pastoral, tornamos a missa um acontecimento duro, didático, cansativo. Sobra pouco espaço para o silêncio.

Abandonamos muito da simbologia tradicional. Quisemos ser modernos, mas não medimos as consequências ou o prejuízo que essa decisão poderia trazer.

Karnal: É curioso que pela segunda vez, tanto na questão das imagens como na das orações, quem vai assumir a posição da defesa sou eu. Acho que o mantra, particularmente a oração mântrica, a reza repetitiva, o terço, a ladainha, possuem um imenso poder cerebral.

Padre Fábio: Sim, claro.

Karnal: Os protestantes fazem distinção entre rezar e orar, apesar de o dicionário não fazer essa distinção. Quando eles dizem que a gente não deve rezar fórmulas prontas, que isso não tem valor, eu gosto de lembrar que a Bíblia está cheia de orações prontas, desde o pai-nosso, do Novo Testamento, até os salmos.

Eu acho realmente que funciona, quer dizer, a ladainha do Sagrado Coração, a ladainha de Nossa Senhora, quando vai gradando a titulação, vai fazendo a pessoa entrar num estado de leveza, de meditação, de vibração pessoal; acho que tem efeito.

Padre Fábio: Dentro do seminário, eu aprendi os exercícios da *lectio divina*. Foi um método com o qual me identifiquei. Eu criava uma ambiência para o acontecimento e isso ajudava. A prática da *lectio divina* facilitava a reflexão, o silêncio. Nós tínhamos também que rezar todas as horas do breviário, oração oficial da Igreja. Com esse breviário, a minha relação nunca foi muito fecunda. Tinha contato diariamente com salmos que me distanciavam do Deus cristão. Mas é um limite meu. No seminário é inevitável que a oração corra o risco de tornar-se mecânica. Então, ao final de tudo, depois de tantos anos vivendo aquela rotina, é possível que você corra o risco de não sentir mais nada quando abre aqueles livros. É como se ligasse no automático, e vamos fazer tudo o que tem que fazer. E como a minha sensibilidade sempre foi para perceber esse Deus cotidiano, simples, bonito, para mim nunca foi tão fácil. Mas eu nunca me senti desamparado. Em todas as fases da minha vida eu encontrava rotas de fuga. A música me ajudou muito. Já quebrei muitas vezes a dureza da realidade com a música.

Karnal: Mas é uma pergunta técnica: Você está quase fundindo emocionar-se com rezar, ou com o contato com o divino. Não é?

Padre Fábio: Não. Eu apenas saliento que preciso sensibilizar minha alma diariamente. Sou assim. Faz parte da minha constituição humana a necessidade de buscar o que me toca, me emociona. E assumo que nem sempre essa oração institucional, que não deixo de fazer, me conduz a essa sensibilidade. A emoção não é sentimentalismo, mas o movimento do todo que sou. A emoção comporta minha razão. Não se trata de uma emoção rasa, que depois não repercute na minha reflexão. Quando eu digo que preciso sensibilizar a minha alma, me refiro ao momento em que todos os meus sentidos estão recrutados, levando-me ao centro do que sou. Quando isso me ocorre, tenho naturalmente a certeza de ter rezado.

Karnal: Inácio de Loyola adverte que as pessoas buscam a oração pela consolação. Quando você fica muito feliz ao rezar (consolação), você pode começar a rezar em busca dessa retribuição. Daí, a secura espiritual seria um deserto no qual se testa a alma: você procura a consolação de Deus ou o Deus da consolação?

Padre Fábio: Não me deseje mais secura espiritual do que já tenho, nobre ateu.

Karnal: Que é o mal de tantos santos. Teresinha de Lisieux, famosa pela falta de consolação. Passou dos 15 aos 24 anos rezando a maior parte do dia, sem ter essa alegria intensa que a oração confere ao crente. E, sendo santa, não desistiu.

Padre Fábio: Mas você certamente também se emociona com a arte, sente que todos os seus sentidos foram arrebatados.

Karnal: Ah, muitas vezes, com intensidade.

Padre Fábio: Às vezes eu estou distribuindo a Eucaristia, e o olhar de uma pessoa para mim é o ponto alto da missa. Engraçado, não é? Eu me sinto visitado por Deus, em situações assim. No olhar de uma pessoa eu faço uma experiência mística. E então posso encontrar a consolação de Deus ou o Deus da consolação.

Karnal: Fui ministro da Eucaristia há muito tempo...

Padre Fábio: Você foi ministro da Eucaristia?

Karnal: E com a opa!

Padre Fábio: Como isso aconteceu?

Karnal: Fiz curso ainda jovem na diocese de Novo Hamburgo. Depois, foi em Cascavel, onde fiz o noviciado. Recém-saído de uma aula de mística, uma senhora pediu a Eucaristia. Ela ligou para o padre, mas ele não podia. Eu acabei indo... Era uma estrada deserta e no caminho havia umas pessoas mal-encaradas. Eu me lembrei da história de São Tarcísio, que foi morto levando a Eucaristia. Foi apedrejado por outras crianças; então, naquele momento, eu desejei o martírio. Eu tinha 18 anos. Das bobagens que se podem fazer na juventude, desejar martírio é a menos grave (risos). Não fui apedrejado.

Padre Fábio: Mas a oração também tem um aspecto terapêutico. Tem gente que se identifica muito. Encontram na oração uma oportunidade de catarse.

Karnal: Tem uma cena do seriado *House*, aquele médico que é um cético debochado, muito inteligente. Ele vai à capela e encontra o seu médico auxiliar rezando. Ele chega por trás e pergunta: "Você está conversando com seu amiguinho imaginário?".

Padre Fábio: Não seja debochado como o médico do seriado. A oração é terapêutica. Eu vejo isso na minha mãe. Ela passou por momentos muito difíceis de dor física. Uma dor óssea terrível. Desde a hora em que ela caiu, e deve ter ficado com aquela dor lancinante por mais de dez horas, ela não perdeu a paz um só minuto. Fiquei ao lado o tempo todo, vivendo o limite de não poder diminuir em nada aquele sofrimento. Nenhum medicamento acalmava o sofrimento. Mas o mais intrigante foi como ela escolheu viver aquelas horas. Com um terço na mão. Não tenho dúvida de que aquele símbolo religioso foi o grande responsável pela força que ali eu presenciei. Não ele em si, mas a fé que ele representava naquela hora.

Karnal: Eu tive uma funcionária na minha casa, adventista, excelente pessoa e muito inteligente, já falecida. Ela tinha um marido violento e alcoólatra. O marido chegava em casa quebrando tudo, batendo. Ela ia para debaixo da mesa, pegava a Bíblia e rezava o salmo 23 com os três filhos. Como é que você vai dizer para uma pessoa dessas que, naquela hora, ela deveria buscar o Conselho Tutelar, a delegacia? O salmo 23...

Padre Fábio: Era o socorro de que ela precisava.

Karnal: Exatamente. Quer dizer: o Senhor é o meu pastor. Naquela hora, era impossível dizer para aquela mulher que ela deveria tomar outra atitude. Por outro lado, na literatura, como em *O tempo e o vento*, do Erico Verissimo, quando o capitão Rodrigo é baleado num duelo, o Padre Lara, um sacerdote português, muito piedoso, chega a ele e pede que faça um sinal para demonstrar que se arrepende de seus pecados, e o capitão Rodrigo faz uma figa. O Padre Lara se benze e sai horrorizado. Depois que o capitão se recupera, ele diz que se tivesse se confessado ao padre, ao chegar lá em cima, Deus ia ver que havia feito por conveniência, e não por crença. É essa autenticidade.

Padre Fábio: Mas eu também não tenho coragem de propor uma teologia diferente nessa hora. Seria desrespeitoso com o que sofre. Esses esclarecimentos só são honestos depois da tempestade.

Karnal: Apesar de eu ter sido catequista tantos anos, eu tenho horror à catequese. Fui um péssimo catequista. Eu tenho horror à pessoa vegetariana, ateia, religiosa, petista, qualquer que seja a sua convicção. Sigo o conselho da minha avó: "Não toque tambor para maluco dançar. Se a pessoa arregalou os olhos, começou a gesticular e a babar, concorde, vá saindo de costas assim, lentamente. E corra!".

Diz uma tradição teológica: é importante que haja o dissidente, caso contrário o ortodoxo não consegue se firmar ou purificar-se.[20] Sartre disse que o judeu é uma invenção do antissemita. Foucault diz que o homossexual é uma invenção do homofóbico. Eu acho que o herege é uma invenção do ortodoxo, o crime é uma invenção do pensamento moral em vários sentidos, o crime moral.

Padre Fábio: Como é? Para Foucault o homossexual é uma criação do homofóbico ou o homofóbico é uma criação do homossexual?

Karnal: Primeiro Sartre disse que o judeu é uma invenção do antissemita. O que significa isso? A cultura dominante determina numericamente, o *mainstream* estabelece o espaço e o gueto em que o outro vai ter que se enquadrar. E o outro se enquadra, porque a cultura dominante estabelece. O mesmo está na análise de Foucault sobre o discurso da homossexualidade: os discursos normativos, teológicos ou médicos criam também o desviante, fundamental para que a corrente principal, o convencional, sinta-se definida.

20. Cf. 1 Coríntios 11,19: "E até importa que haja entre vós heresias, para que os que são sinceros se manifestem entre vós".

PARTE 7

A morte: esperanças e medos no horizonte do ateu e de pessoas de fé

Padre Fábio: Como é que um ateu enfrenta a morte?

Karnal: Bom, eu não sei... Eu não sei, porque isso me falta. No momento em que ressurge o ateísmo no mundo, a partir do século XVII, começa um modelo narrativo chamado da boa morte. E esse modelo narrativo, ou lenda, passa a enfatizar que grandes ateus e "hereges", como Lutero, retrocederam na hora da morte. Isso passa a ser uma narrativa fixa especialmente sobre o Iluminismo. É dito com frequência: os ateus só são ateus enquanto têm saúde.

Padre Fábio: Ou juventude.

Karnal: Alguns ateus contemporâneos respondem a isso. Uma colega minha, que é bastante ateia também, contava uma história interessante. Uma aluna dela pergunta: "Se você é ateia, o que vai fazer se tiver câncer?". E ela responde: "Vou fazer quimioterapia". "Mas, e se não der certo?", questiona a aluna. "Eu vou morrer como a senhora", responde ela.

Em primeiro lugar, a morte é o maior equalizador da humanidade. Quer dizer, se você levar uma vida saudável, você vai morrer. Se levar uma vida não saudável, vai morrer. Se for muito religioso, você vai morrer. Voltamos à famosa aposta de Pascal, se existe uma eternidade, o ateu perdeu a eternidade por causa de setenta, oitenta, noventa anos; se ela não existe, o religioso perdeu setenta anos.

Padre Fábio: É a mesma coisa.

Karnal: Mas, sem dúvida, a morte é um grande divisor de águas. Na verdade, o fato de que todos vamos morrer, inevitavelmente, está na base da estrutura religiosa, porque toda religião, na maneira como ela ocorre, é fúnebre. Os egípcios foram os mais famosos, porque eles viviam para a morte. Mas toda religião é fúnebre, porque ela nos prepara para um além. E talvez a ideia de morte seja uma das grandes críticas que eu faço às religiões. Elas lhe dizem sempre que o melhor está por vir, contrariando a religião do "fabianismo". É uma velha piada ou uma história cômica que o meu colega Clóvis de Barros conta. Quando você chega ao ginásio, dizem que bom mesmo é a faculdade. Na faculdade, dizem que é o estágio. No estágio, dizem que o bom mesmo virá quando você for efetivado. E quando você é efetivado, dizem que bom mesmo será quando você for CEO. No final, você chega lá e pode aposentar. Aí você vai para casa, adoece, começa a se aproximar da morte, chega um padre e diz: Não se preocupe, meu filho, bom mesmo vai ser depois... Parece que a religião promete que o que você toca com o corpo é aparência, e é ruim. O que você vive é passageiro, e é ruim; e o bom será quando essa casca desaparecer e a eternidade se anunciar.

Pressupondo aí a minha base spinoziana, que meu corpo não é algo que guarda uma alma imortal, um invólucro, mas sou eu. Se o meu corpo não existir, eu não existirei. E aí lembrando a carta de Epicuro sobre a felicidade, por que é que alguém deve temer a morte? Porque eu nunca estarei com a morte. Quando a morte for, eu não serei; enquanto eu for, a morte não será. A carta sobre a felicidade de Epicuro diz que se deve honestamente viver e honradamente morrer, não há por que temer o inevitável. Então, hoje eu lhe digo com toda a tranquilidade que, se fosse anunciado por algum método que amanhã de manhã eu estaria morto, nada afetaria essa noite. Tudo que eu pude tomar de providências, sobre seguros, instruções, testamento.

Padre Fábio: Você já o fez.

Karnal: Sim. Como diz Fernando Pessoa num lindo poema, se quiser se matar, se mate. Tens medo do desconhecido? Ninguém conhece nada (risos). Achas que vais fazer falta? Duas vezes por ano, aniversário de vida e aniversário de morte e cada vez menos. Então se quiser se matar, se mate.[21] Tudo é transitório, né?

O fato de algumas borboletas durarem 48 horas e algumas tartarugas, 150 anos, não faz com que uma vida seja melhor do que a outra. Na verdade, eu acho, inclusive, que a beleza da flor natural é ela morrer. E é o horror da flor de plástico: nunca morre e, por isso, nunca vive.

Padre Fábio: Justamente. A beleza que há nas passagens, a mística da impermanência.

Karnal: A flor de plástico permanece. É a morte que me deixa feliz. Eu não gosto do processo de

---

21. "Se te queres matar, porque não te queres matar", *Poesias de Álvaro de Campos.*

envelhecimento, porque ele me assusta com uma coisa que afeta a minha vaidade, a dependência. Mas é um puro exercício de vaidade, eu gostar ou não gostar não é um impeditivo. Em todo caso, a morte não só não me assusta como eu acho que, antes de mim, milhões morreram, e pronto.

Agora eu entendo, por exemplo, no caso do cristianismo, que São José tenha sido constituído padroeiro da boa morte, porque ele morreu tendo ao seu lado Jesus e Nossa Senhora, quer dizer, essa é uma companhia importante.

Padre Fábio: Ele estava afetivamente bem amparado...

Karnal: É por isso que ele é o padroeiro da boa morte. Agora, a morte nunca me assustou, nem quando eu era religioso, nem agora. E a você? No "fabianismo"?

Padre Fábio: No "fabianismo"? (Risos)

Karnal: Eu descobri que você não é cristão, é "fabiano"!

Padre Fábio: Luto para ser cristão. Diariamente. Como Fábio, é claro. A vida cristã me oferece um amparo existencial diante da impermanência das coisas. Esse amparo me chega pela mística do desprendimento. A morte me faz inevitavelmente pensar nas pretensões que carrego. E assim ela pode me simplificar. Tudo passa, e eu estou no centro desse devir. O meu ser vai se despedindo para que um outro assuma o protagonismo. Vivo morrendo, mas sob a dinâmica da ressurreição. Do eu que sou nascem outros. Todos alinhavados à minha verdade pessoal. Compreendo assim a minha relação com a morte. Ela é um avesso da vida. Ela me faz pensar coisas, o não definitivo que me envolve como uma experiência de travessia. Tudo está passando, tudo está em processo de transição, de mudança. Eu lido com aquilo que é permanente em mim, mas o tempo todo eu preciso experimentar a impermanência do permanente. O "já" que sou na dinâmica do "ainda não". É pura dialética, tensão que me coloca em constante êxodo.

Retorno a Levinas e ao seu conceito de alteridade. Para ele, o outro nunca poderá ser abarcado em sua totalidade. O outro como um totalmente outro. E no outro eu me reconheço também como um ser finito. O morrer do outro me atinge, porque inevitavelmente me recorda que morrerei também. Eu antecipo o meu morrer quando morre alguém próximo a mim. Sob o impacto da finitude alheia, adentro a vida que tenho. E, então, vejo os efeitos positivos do morrer do mundo na construção de minhas escolhas. Eu estou morrendo e não sei quanto tempo me resta. Essa reflexão me soa extremamente honesta, fértil, plausível. Não por medo, mas por uma sabedoria. O tempo passa e eu estou morrendo. Preciso qualificar o tempo que tenho. Esse é um imperativo ético que me coloca no centro do Evangelho. A minha fé acelera em mim a consciência de que a vida é boa e merece ser bem vivida.

O discurso cristão me ampara, volto a dizer, e essa impermanência funciona como um sinalizador para aquilo que de fato me importa. É a partir dela que eu faço a triagem. Mas confesso que os ritos de morte nunca me fizeram bem. Eu tenho dificuldades com a forma como o cristianismo ritualiza o morrer. Acho o velório um acontecimento absolutamente mórbido. Expor um corpo em sua indigência final pode nos dificultar uma visão positiva da morte.

Karnal: Mas curiosamente foi essa piedade barroca que produziu, em Évora, a Capela dos Ossos, ou as capelas nas catacumbas em Paris; algo para desprender da segurança do mundo. Uma coisa do tipo: nós, ossos que aqui estamos, pelos vossos esperamos. Ou mesmo os cemitérios tradicionais, que dizem: és o que fomos, serás o que somos.

Padre Fábio: Eu já me interessei pelos ritos de morte. Estudei, até. É muito interessante identificar a solução que as culturas formularam na lida com suas despedidas definitivas. Vi de tudo. E muito me impressionou que em algumas culturas os mortos nunca são enterrados, mas mantidos em casa, como se estivessem dormindo.

Karnal: Os mexicanos, em algumas comunidades, desenterravam os defuntos no dia dos mortos e conversavam com eles.

Padre Fábio: Os argentinos não sepultam totalmente. O fato de deixar o esquife à mostra parece uma possibilidade de continuidade. Presenciei em Buenos Aires uma mulher recebendo as amigas para um chá, dentro do mausoléu da filha. A menina faria 15 anos naquele dia. O caixão lacrado, no meio da sala, e as mulheres conversando descontraidamente, comendo bolachas e tomando um chá. Se eu fosse convidado, alegaria um compromisso inadiável.

Karnal: Os quadros do barroco, em particular, guardam essa lembrança da morte, gente jovem jogando cartas ou comendo com a morte atrás, é muito tradicional na iconografia cristã. Hábitos piedosos: representar São Francisco com uma caveira, monges que dormiam dentro de caixões para já se prepararem. Sempre me pareceu que esse desprendimento diante da vida, ou esse relativo estoicismo diante da vida, fosse um profundo medo da morte. A maneira de eu tentar enfrentar isso...

Padre Fábio: É melhor já ir se acostumando com ela...

Karnal: Assim como Rasputin, que tomava arsênico diariamente, como uma forma de evitar ser envenenado um dia. Todos os cultos religiosos são cultos de memória. Alguns povos, como os ianomâmis, por exemplo, quando morre alguém, queimam o corpo, pegam as cinzas, misturam com bebida e bebem. E, a partir do momento em que se bebem as cinzas, não se toca mais no nome do morto. Ele desaparece. Os indígenas têm uma habilidade enorme de fazer ritos muito eficazes. Outro exemplo são as formigas tucandeiras dos Saterê-Mawé: os meninos põem a mão dentro de uma luva com formigas, são crianças; tiram a mão, são homens adultos.

Padre Fábio: Mia Couto diz que "morto amado nunca para de morrer". É verdade. O amor nos coloca na dinâmica de um morrer que nunca termina. Nem tudo pode ser sepultado. Fica eternamente em nós. Fica vida na expressão da memória, mas também fica morte. Na morte do outro, morremos também. Quanto do outro que morreu está morrendo também em mim? Interessante pensar sobre essa abrangência da morte.

Karnal: No ano passado, você me fez uma pergunta a propósito de uma morte: "Quantos morrem com aquele que morre?".

Padre Fábio: Sim, quantos morrem naquele que morre. Eu me pergunto sempre.

Karnal: Pois é. A minha morte não me incomoda, mas a dos que me cercam, sim. O que mexe comigo é a dor em relação aos entes queridos, a morte de quem eu amo; e também a minha incapacidade, a minha dependência, a minha degeneração física e intelectual.

Padre Fábio: É um desamparo.

Karnal: Daquilo que eu senti em 2010 com o meu pai morto. Eu envelheci ali. O primeiro efeito da morte de pai e mãe é o envelhecimento. Você passa a ser a geração seguinte. Enquanto há pai e mãe, você está simbolicamente no campo "filho", não importa que você tenha 70 anos e sua mãe 95, você é filho. Essa é uma reflexão que faço em relação ao próprio exercício da minha atividade, ser professor.

Quando eu comecei a dar aula, meus alunos tinham 15 anos e eu tinha 19. Hoje eles continuam tendo 17 ou 18, e eu tenho 54. Eles são um produto renovável. Todo ano vem uma nova leva de alunos. Então, eu sou obrigado a me contrapor com a juventude deles, a me contrapor com o fato de que, quando eu pergunto, no primeiro ano da Unicamp, qual o presidente mais antigo de que eles têm memória, a resposta é Lula.

Padre Fábio: É mesmo.

Karnal: Eu lembro de Costa e Silva! Isso dá uma dimensão dessa passagem de tempo. E aí vem de novo o meu louvor ao pensamento religioso. Nada nem ninguém pode oferecer consolo a não ser a religião. Você não pode chegar a um enterro e usar a ciência para consolar uma mãe. Eu não posso chegar para uma mãe que perdeu um filho e dizer que seu filho é feito de unidade de carbono, e que toda unidade de carbono tende a desaparecer.

Padre Fábio: Seria uma interferência infeliz. Ou então dizer o que costumeiramente escutamos: "Hoje foi ele, amanhã pode ser qualquer um de nós!".

Karnal: Isso é ciência. Mas se eu disser que seu filho "virou" um anjo e prepara o caminho para nós...

Padre Fábio: Ele está lá em cima rezando por nós, e vamos nos reencontrar por toda a eternidade, sim, isso consola.

Karnal: A ciência não seca lágrima, a religião seca, ou pelo menos dá dimensão à dor. Há várias formas de luto. Os cristãos consolam o morto. Alguns religiosos hoje, como judeus e adventistas, não insistem na mudança do julgamento de Deus.

Padre Fábio: Deus não vai mudar de ideia.

Karnal: E como muita gente rezou por ele, como ele era amado, Deus vai tirá-lo do inferno.

Padre Fábio: Ou então Deus pede um relatório de orações ao anjo responsável pelo departamento e arbitra: ainda falta um pouco de reza para esse pecador sair do purgatório, vou esperar...

Mas você tem razão, Leandro, sobre o consolo dos entes queridos. A mim, como padre, o que sobra no momento da morte é a fé que tenho na ressurreição, e que se expressa na solidariedade com a família. Eu evito os discursos mágicos, mas não me privo de oferecer a minha solidariedade, meu carinho e, em muitos casos, a minha lágrima.

Karnal: Você já ministrou viático?

Padre Fábio: Nunca fui padre de paróquia, mas já fiz muitos.

Karnal: Você não acha que o rito formal viático, a unção, é um poderoso consolo?

Padre Fábio: Com certeza. É um sinal, é um símbolo que ajuda muito a viver a perda. Da mesma forma como é importante, para a família que é cristã, a presença do sacerdote no velório. Se não faz a recomendação do corpo, há todo um desconforto. Será que Deus vai receber o morto? Não podemos desconsiderar essa sensibilidade das pessoas. Muito embora, volto a dizer, não acredite que Deus fique prestando atenção em quem foi encomendado e quem não foi. Dentro da minha cabeça não cabe um Deus assim, mas eu preciso me exercitar como padre, para atender pessoas que pensam assim.

Karnal: Mas é um rito de passagem. Nesse sentido, você está pensando como os judeus clássicos: você consola os que ficaram, o que partiu pertence a um plano eterno de um Deus que não admite interferência.

Padre Fábio: Justamente. O morto enfrentará o seu juízo final. Rezar pelos defuntos não pode parecer assinar uma petição para mudar a opinião de Deus.

Karnal: Os judeus fazem aquela semana de resguardo da família, um círculo de orações, um exercício de união da família.

Padre Fábio: É um ritual para aqueles que estão ali, vivos, precisando enfrentar a perda.

Karnal: Existe o medo do esquecimento na morte, quando você eterniza o morto através de orações e de missas de sétimo dia, de trinta dias, de um ano. Quando, na verdade, eu acho que o grande benefício da morte é justamente o esquecimento.

Padre Fábio: Numa entrevista que dei a Marília Gabriela, ela me perguntou como é que eu gostaria de ser lembrado após a morte. Eu falei que não queria ser lembrado. Eu prefiro ser esquecido. Acho muito confortável o cair no esquecimento. Ter a existência diluída em bilhões de outras existências. As pessoas comuns, depois de cem anos, ninguém sabe mais quem foram elas.

Karnal: Cem anos? Que otimismo...

Padre Fábio: Você acha que são esquecidas em menos tempo?

Karnal: Nossa, muito menos. Com exceção daqueles, como eu, que fizeram a árvore genealógica da família, ninguém sabe nem o nome dos seus bisavós.

Padre Fábio: Eu não sei.

Karnal: Então não são cem anos.

Padre Fábio: O fato é que as pessoas são totalmente esquecidas num espaço muito curto de tempo. Elas nem citadas são mais. Isso tem que nos fazer pensar.

Karnal: Esse é um argumento que se usa para defender a existência histórica de Jesus. Nós não temos nenhum documento absoluto de que Jesus tenha existido historicamente, fora os Evangelhos e uma passagem muito obscura – e de provável inserção posterior – no Flávio Josefo. Porém, também não temos nenhum documento da sua prisão, e você estar aqui é sinal de que ela existiu. Então existir o cristianismo é sinal de que houve um Jesus.

Padre Fábio: A pesquisa histórica é importantíssima, mas o Cristo teológico, isto é, o Deus glorificado no homem Jesus, é o que prevaleceu na história. Sua abrangência é tão profunda que atinge a interpretação que fazemos do livro do Gênesis, mais precisamente do relato da Criação. O recuo epistemológico coloca o Cristo como antes de todas as coisas. Mas o Jesus histórico me interessa muito.

Karnal: Até para um historiador isso é irrelevante. Porque a crença, válida ou não, cria cultura. O medo que meu filho tem do bicho-papão, que não existe, cria ansiedade, taquicardia. Isso é cultura e é realidade. O cristianismo existe. É uma força impressionante na cultura ocidental. Nesse caso, a questão de se Jesus existiu ou não perde a importância. A tendência de negar a existência de Jesus já desapareceu.

Mas as pessoas temem a morte. Elas temem os mortos, inclusive. Têm fobia à morte, a chamada tanatofobia, né? Elas não querem mais tocar em mortos, não querem mais velar em casa. Nós fomos afastando a morte da nossa presença.

Padre Fábio: E eu tenho essa tendência.

Karnal: O inferno é eterno. É só lembrar o que está na porta do inferno, segundo Dante. Quando a tradução do Italo Eugenio Mauro diz "Vai-se por mim à cidade dolente/ vai-se por mim à sempiterna dor. [...] Moveu justiça o meu alto feitor [...]".[22] Quer dizer: quando Dante escreveu *A divina comédia*, a ideia medieval de justiça

---

22. Trata-se de tradução de 1998, publicada pela editora 34 em 2009. O trecho está em "Inferno", canto III.

pressupunha punição. Uma das obras espirituais de misericórdia é punir os que erram. Um dos princípios do direito medieval é que se você não punir o lobo, você pune a ovelha. A ideia de que não haja justiça punitiva na Idade Média era uma ofensa à ideia de justiça.

A ideia de que a prisão deva ser educativa, reintegradora, é muito recente. O Brasil não tem prisão perpétua. Você condena alguém a 127 anos, mas não tem prisão perpétua. Isso acontece porque nós não temos a ideia de punição permanente. Um estuprador passa quinze anos na cadeia e acham que ele já pagou seu débito com a sociedade.

Padre Fábio: Isso significa que se toda vez, através de um discurso religioso, se você sugere a figura dessa punição definitiva, eu não tenho controle do que o outro compreende. Como a gente brincava, o desfrutar de um parente o resto da vida, para uns é céu, mas para outros pode ser o inferno. Então, essa configuração é muito pessoal. Voltamos ao início da nossa conversa. Toda vez que precisamos falar de realidades que são atemporais, a partir de uma linguagem temporal e limitada, eu esvazio o significado do que pretendo dizer.

Karnal: Quando chega o século XIX e Kardec codifica o espiritismo em Paris, ele pressupõe que, num plano mais baixo, no umbral, um espírito só ficaria enquanto não aceitasse a redenção, a misericórdia e o auxílio. É aquela famosa imagem de Michelangelo, de Deus criando o homem no teto da Capela Sistina. Os dedos não se tocam, Adão estica a mão e... para o religioso que vê da direita para a esquerda, é Deus criando o homem.

Padre Fábio: E o historiador vê da esquerda para a direita, o homem criando Deus.

Karnal: O argumento clássico contra os ateus é que eles não explicam a origem de tudo. Tem gente que me pergunta: "Então de onde você veio?". Pelo que eu saiba foi da minha mãe. E a mãe dela? E assim até o símio ancestral. Então vem a pergunta: "De onde veio o macaco?". Eu digo: "Da macaca!". Aí é a minha vez de perguntar: Não é possível então que algo venha de nada? Não. Não é possível que algo gere a partir do nada? Não. Então de onde veio Deus? Ah, Deus sempre esteve. Bom, aí no único caso em que essa explicação o favorece, você aceita que o nada gere nada.

Padre Fábio: Não, ciência e religião são complementares, assim como eu acho que nós somos complementares, e é bom que cada um continue atuando no seu espaço. Eu me sinto, como um homem de fé, muito confortável com as considerações que você me faz. Eu cresço a partir do seu horizonte de sentido, de sua visão de mundo.

Identifico um profundo respeito de sua parte ao meu contexto de fé, à antropologia teológica que me sustenta. Em nenhum momento me sinto afrontado, desrespeitado pelas suas abordagens. Seu ateísmo não descredencia a minha fé. Confesso que já experimentei com cristãos um desrespeito que nunca experimentei com você.

Eu compreendo e respeito o seu posicionamento. Acho honestíssimo você reconhecer que foi um católico que nunca chegou a ser cristão. Essa diferenciação me ajuda muito a refletir sobre minha religiosidade. Escuto seus argumentos e identifico que temos muito mais convergências do que divergências. Somos afeitos às questões humanas. Não fugimos dos desconfortos que elas nos provocam.

A grande diferença é que eu acredito na essência que me antecede, e você não. Depois deste ponto a gente segue junto, querendo valores muito semelhantes, e acreditando na possibilidade de driblar nossos limites, cultivando uma vida virtuosa.

Permita-me afrontá-lo. Conheço-o pouco, mas no pouco que pude conhecer, eu identifico que muitas de suas escolhas são cristãs. A mim não interessam os caminhos que você andou para ser capaz delas. A mim interessa a comunhão que podemos estabelecer a partir delas.

Karnal: Eu estava em Roma, na igreja jesuítica onde ficam os túmulos de Inácio e de Francisco Xavier, e lá tem o braço de Francisco Xavier. Uma parte do corpo está em Macau; outra, em Goa; outra, em Roma. Na hora da ressurreição final vai haver um probleminha com ele...

E se diz que o braço mumificado de Francisco Xavier batizou 300 mil pessoas. E eu refleti diante do braço. Francisco Xavier era um homem muito inteligente e encontrou um sentido que era atravessar o mundo e batizar gente na Índia, no Japão e na China. Ele é o padroeiro das missões. Ele poderia também ter passado a vida pregando na periferia de Paris, onde estudou, que encontraria talvez até mais céticos do que entre os xintoístas do Japão, né? Por que eu conto essa história? Porque eu acho que sua fé, Padre Fábio, o aproxima da humanidade. E a minha descrença, meu ceticismo em sistemas, me aproxima da humanidade. Eu acho que o nosso humanismo é um denominador comum. Então, quando eu acho que há choques religiosos, ou com ateus ou de outras religiões, o que está fracassando não é a crença em Deus ou não Deus, mas é a crença nas pessoas. É a crença na validade do humano. O que eu penso, como Leandro, só tem validade para mim. Outras experiências geram outras coisas. A minha biografia me trouxe até aqui, e pode mudar.

Sempre acho que posso mudar no futuro. Não vejo nenhum problema se, em dez ou quinze anos, por algum motivo existencial, alguma epifania minha, eu volte a ser religioso. Quero sempre ser coerente com o que eu acredito. Quando eu era muito jovem, ainda religioso, fui visitar a Cascata do Caracol, no Rio Grande do Sul. Uma freira professora disse: "Como é que tem gente que vê isso e não vê Deus?". E, embora muito católico naquela época, eu disse que via Newton. É a água que cai...

Tirando a irritação de um jovem querendo atacar a freira chata, nós estávamos dizendo a mesma coisa. Nós podíamos ter feito o diálogo pela transcendência. Eu vejo algo que nunca encontrei, Newton; a freira vê algo que ela nunca encontrou, Deus. E nós, ambos, estamos procurando uma explicação para a beleza. Ambos são seres humanos perguntando.

Padre Fábio: Um aspecto que nos torna bastante convergentes é o fato de você ter conhecimento teológico. É muito bom discutir com você porque você sabe exatamente, com muita propriedade, aquilo que me move. Eu estudei dezesseis anos para ser padre, você estudou muito também. Você tem um vasto conhecimento de teologia, de patrística, de tradição religiosa católica. Muito honestamente você disse que nunca foi cristão, e que se limitou a ser católico. Isso facilita o diálogo. Estamos honestos em nossos posicionamentos. Eu também ouso dizer que sou um padre católico que luta diariamente para ser cristão. É muito bom conversar com um ateu profundamente conhecedor de religião. Boa parte dos que conheço carrega o prejuízo de não conhecer. Ou carregam uma indisposição que os faz pensar que teologia é um conhecimento de segunda grandeza. Digo que foi um prazer ter esta conversa. Você não tem a fé no sobrenatural, mas se alimenta diariamente de todos os recursos que a aventura humana lhe proporciona. Vive sensibilizado, nunca no sentido restrito, mas amplo, com todos os seus sentidos aguçados para perceber a grandiosidade da vida.

A minha fé no sobrenatural me ajuda a chegar a esse humano que nós queremos ser. Em nenhum momento eu identifico em você, por ser ateu, um descomprometimento com a sociedade. É um ser humano que está bem-intencionado, desejoso de tornar o mundo melhor, no espaço que lhe cabe, no esclarecimento que pode promover, como professor que é. Quem dera nós tivéssemos mais debates que não pretendessem desqualificar a razão alheia, mas conhecê-la. A diferença como um ponto de encontro, e não de divisão.

Karnal: A crença no humano vem caindo. Acho que um antropocentrismo é até saudável, importante. Mas não um antropocentrismo que já foi usado até como argumento de destruição da natureza. Inclusive entre alguns religiosos fundamentalistas, a ideia de que Deus deu a Adão o poder sobre a criação pressupõe que você tem esse poder. Protestantes americanos justificam a caça, inclusive a de lazer, com base teológica. Quer dizer que você pode matar, porque ganhou o poder sobre a natureza. Por isso é importante ter uma crença básica no humano. Na capacidade de transformação, na criação, na educação. Nessas questões que nos movem e que nos fazem ir a público. É isso que eu e o Padre Fábio fazemos nas nossas vidas e estamos fazendo neste livro.

Padre Fábio: Nunca é muito repetir meu carinho: A quem não tem Deus, que tenha, pelo menos, Aristóteles.

Karnal: Amém!

Glossário

A divina comédia Poema italiano épico e de viés teológico escrito por Dante Alighieri no século XIV e dividido em três partes: Inferno, Purgatório e Paraíso. Publicado pela primeira vez em 1555, é considerado o maior poema do Ocidente e uma das obras-primas da literatura mundial.

Anencefalia Malformação fisiológica que consiste na falta parcial do encéfalo, área do sistema nervoso central que abrange o cérebro.

Anel do pescador (em latim, *anulus piscatoris*) é um símbolo oficial do papa: faz alusão ao momento em que Jesus diz a Pedro que ele seria um pescador de almas. Tem em baixo-relevo a imagem de Pedro pescando em um barco e, ao redor dessa imagem, em alto-relevo, é gravado o nome do respectivo papa. Com a morte do pontífice, o anel é destruído e o ouro obtido é usado no próximo anel.

Anomia A primeira das três fases do desenvolvimento moral do indivíduo, segundo o psicólogo suíço Jean Piaget.

Antigo Testamento Também conhecido como Velho Testamento, é a primeira parte da Bíblia cristã. É constituído pelos livros escritos a partir do século XV a.C. até o nascimento de

Cristo. A segunda parte da Bíblia, o Novo Testamento, reúne os livros escritos após a vinda de Jesus.

Antropocentrismo (do grego *anthropos,* "humano"; e *kentron,* "centro"). Conceito oposto ao teocentrismo, ressalta o homem como ser livre, inteligente e fator mais importante do universo.

Apologética Defesa fundamentada da fé e da religião cristã.

Auto de fé Na época da Inquisição era a cerimônia na qual o réu considerado culpado era obrigado a pedir perdão por seus pecados. O ato de pedir perdão também ficou conhecido como auto de fé.

Autonomia A terceira das três fases do desenvolvimento moral do indivíduo, segundo o psicólogo suíço Jean Piaget.

Batizados trinitários Batismos professados em nome da Santíssima Trindade (o Pai, o Filho e o Espírito Santo).

Breviário Livro que contém os textos necessários (orações, salmos etc.) para o ofício divino. Os sacerdotes católicos devem rezá-lo todos os dias.

Carisma Palavra de origem grega que significa "graça" e se refere, na teologia católica, às graças especiais do Espírito Santo para o bem da Igreja e da humanidade.

Catequese Ensinamento dos mistérios da fé e das coisas religiosas.

Concílio de Trento 19º concílio ecumênico da Igreja Católica realizado de 1545 a 1563. Foi convocado pelo Papa Paulo III para assegurar a unidade da fé e a disciplina eclesiástica como reação à Reforma Protestante.

Decálogo Os dez mandamentos bíblicos.

Encarnação do verbo Referência ao momento em que Jesus assumiu a natureza humana encarnando em forma de homem.

Escatologia (do grego, "último" e "estudo"). Parte da doutrina cristã que lida com o fim das coisas e com o Juízo Final.

Espaço catequético Espaço dedicado à catequese, para a discussão sobre a doutrina de uma religião.

Espaço celebrativo Espaço onde acontece a ação litúrgica.

Estrela de prata em Belém Estrela de prata de 14 pontas que fica abaixo do altar na Basílica da Natividade, em Belém. A igreja foi construída sobre uma caverna considerada pelos cristãos como o local do nascimento de Cristo, e a estrela marca o exato lugar onde Ele nasceu.

Eucaristia Palavra de origem grega que significa "agradecimento". Mesmo que Ação de Graças, é a celebração, na Igreja Católica, da morte e ressurreição de Jesus Cristo. Também é o nome do principal sacramento da Igreja, aquele em que o pão e o vinho se tornam a carne e o sangue de Jesus.

Exercícios de Santo Inácio Segundo o santo católico, são exercícios espirituais para as pessoas afastarem de si as "afeições desordenadas", procurarem e encontrarem a vontade de Deus, dispondo suas vidas para o bem.

Farisaísmo Doutrina e prática dos fariseus. Trata-se de movimento religioso do judaísmo, uma das três principais correntes em que se dividiram os judeus da Palestina sob a ocupação romana (século I a.C.). As outras correntes eram os saduceus e os essênios.

Fariseus Judeus conservadores especialmente escrupulosos na observância da Lei de Moisés, enxergavam a tradição oral como tendo autoridade igual à da palavra escrita de Deus, diferentemente dos saduceus, que consideravam apenas a palavra escrita. Aspiravam rigor e pureza absoluta, especialmente em matéria de liturgia, e por isso foram acusados pelos evangelistas de serem formalistas e hipócritas.

Gálatas Povo celta, habitantes da região da Galácia, parte central da atual Turquia. A Epístola aos Gálatas foi escrita pelo apóstolo Paulo e vem sendo considerada por alguns estudiosos como "A carta magna da Igreja", pela defesa que faz da liberdade cristã em oposição aos ensinos judaizantes.

Gnose (do grego *gnosis,* "conhecimento"). Conceito religioso que busca o conhecimento superior, interno, espiritual, iniciático. Parte da aceitação da existência de um Deus transcendente, existência que não precisa ser demonstrada.

Hermenêutica (do grego *hermeneuein,* "interpretar"). Interpretação do sentido das palavras e de textos em geral, bem como dos signos e de sua representação simbólica numa cultura.

Hermenêutica bíblica Estudo dos princípios e métodos de interpretação do texto bíblico.

Heteronomia A segunda das três fases do desenvolvimento moral do indivíduo, segundo o psicólogo suíço Jean Piaget.

Hic et nunc Expressão latina que significa "aqui e agora".

Inquisição Período em que a Igreja Católica fazia julgamentos a fim de separar os cristãos dos hereges. O castigo – muitas vezes a morte na fogueira – era considerado como um instrumento de revelação pelo qual o réu teria dimensão de seus pecados ou direito à salvação espiritual.

Jansenista Relativo ao jansenismo, doutrina religiosa inspirada nas ideias do teólogo holandês Cornelius Otto Jansenius, bispo de Ypres, que atribuía a salvação da alma ao insondável juízo prévio do Criador, e não às boas obras ou disposição do ser. Fortemente combatidas pelos jesuítas, as teses de Jansen sobre a predestinação dos que seriam ou não salvos foram condenadas por vários documentos papais.

Juízo Final Segundo a Bíblia, será o dia do ajuste de contas, em que "todos os ímpios estarão perante Deus e terão de responder por seus atos".

Kardecismo Doutrina espírita reencarnacionista codificada por Allan Kardec.

Lacaniano Referente ao psicanalista francês Jacques Lacan.

Lectio divina Método que consiste na prática de oração e leitura das Escrituras, e tem o intuito de promover a comunhão com Deus, além de aumentar o conhecimento da palavra de Deus.

Liturgia das horas Oração pública e comunitária da Igreja Católica.

Luteranismo Considerada a primeira religião fundada durante a Reforma Protestante, é uma vertente do cristianismo que tem por base a teologia de Martinho Lutero. Prega que "a salvação vem somente pela graça, somente pela fé e somente por Cristo", contrariando o ponto de vista católico romano, que se baseava em uma "salvação pelo amor e pelas boas obras".

Mórmons Adeptos da Igreja de Jesus Cristo dos Santos dos Últimos Dias, consideram-se um grupo religioso restauracionista que pretende resgatar o cristianismo primitivo. Surgiram no século XIX, nos Estados Unidos, liderados por Joseph Smith Jr.

Neopaganismo Termo utilizado para identificar movimentos religiosos modernos inspirados nas religiões pré-cristãs praticadas pelos antigos povos tribais europeus. Acreditam em uma espiritualidade centrada na percepção da Terra como sagrada.

Neopagão Adepto do **neopaganismo**.

Neopentecostal De neopentecostalismo ou terceira onda do pentecostalismo. Vertente do evangelicalismo que reúne igrejas do movimento de Renovação Cristã. O termo foi usado pela primeira vez na década de 1970, para as igrejas que adotaram doutrinas e práticas das igrejas pentecostais e do movimento carismático.

O capital Conjunto de livros escritos por Karl Marx, publicado pela primeira vez em 1867, que faz profunda análise do capitalismo. Considerado como marco do pensamento socialista marxista.

Opa Espécie de capa utilizada por leigos que distribuem a comunhão (ministros da Eucaristia).

Paganismo Conjunto de ideias e costumes dos povos pagãos. Termo também utilizado para se referir a religiões politeístas.

Pneumatologia (do grego *pneuma*, "sopro" ou "espírito"). Parte da teologia cristã que se refere ao estudo do Espírito Santo.

Postulantado Etapa de formação necessária para a adequada preparação ao noviciado, em que o postulante reafirma sua própria determinação de converter-se da vida secular para a forma de vida franciscana.

Protestantismo Um dos três ramos do cristianismo (os outros dois são a Igreja Católica Apostólica Romana e a Igreja Ortodoxa), o movimento surgiu na Europa Central no início do século XVI como uma reação contra as doutrinas e práticas do catolicismo romano medieval.

Quietismo Doutrina espiritual surgida na Espanha, em 1675, com a publicação do *Guia espiritual*, de Miguel de Molinos. Prega a oração contemplativa e a passividade da alma como forma de alcançar a Deus. Defende que, no estado de quietude, a mente se torna inativa, sem vontade própria, mas permanece passiva e possibilitando a oportunidade de Deus operar nela.

Recuo epistemológico Recuo no estudo do conhecimento científico, sua natureza, seu processo de aquisição, alcance e limites, e principalmente das relações que se estabelecem entre quem estuda e o objeto de conhecimento. O recuo epistemológico coloca o Cristo como antes de todas as coisas.

Rosário Enfiada de 165 contas: 15 dezenas de Ave-Marias e 15 Pai-Nossos, para serem rezados como prática religiosa.

Saduceus Judeus do alto escalão social e econômico na Judeia, cumpriam funções políticas, sociais e religiosas. Diferentemente dos fariseus, consideravam apenas a palavra escrita de Deus, ignorando a tradição oral.

Sagrado Coração de Jesus Imagem que representa a revelação feita por Jesus a Santa Margarida Maria Alacoque, que teve a visão de Jesus exatamente como aparece nas imagens do Sagrado Coração, com o coração fora do peito, simbolizando o pedido que Ele fez a ela para que começasse a divulgar a devoção que sentia.

Santeria Religião que funde crenças católicas com a religião iorubá, praticada por escravos cubanos e seus descendentes que adoravam seus santos primitivos em detrimento dos santos católicos.

Santo dos santos Lugar mais sagrado do tabernáculo – segundo a Bíblia, templo que Deus ordenou ao povo israelita construir, quando estava a caminho da terra prometida.

Santo Ofício Instituição formada pelos tribunais da Igreja Católica para perseguir, julgar e punir os considerados hereges.

Santo Sepulcro Local em Jerusalém onde esteve sepultado Jesus até sua ressurreição. Hoje o Santo Sepulcro fica dentro da Basílica do Santo Sepulcro.

Sermão da montanha Sermão de Jesus aos seus discípulos sobre como devem ser e viver os cristãos. Ficou conhecido por esse nome pois Jesus, ao ver a multidão, subiu em um monte para poder ver e ser visto melhor. O Sermão está em Mateus 5-7.

Sikhs (do sânscrito *śisya,* "discípulo", "o que aprende" ou "instrução"). Adeptos do siquismo.

Siquismo Ou sikhismo. Religião monoteísta fundada em fins do século XV no Punjab (região dividida entre o Paquistão e a Índia) pelo guru Nanak.

Sofismo Pensamento ou retórica que procura induzir ao erro.

Sofista (do grego *sophistes*, "sabedoria"). Aquele que utiliza a habilidade retórica para defender argumentos inconsistentes.

Spinoziana Relativo ao filósofo racionalista Baruch de Espinosa, considerado o fundador do criticismo bíblico moderno.

Super-homem de Nietzsche Conceito elaborado pelo filósofo Friedrich Nietzsche para designar um ser superior. Trata-se de um indivíduo que criou seus próprios valores, que não é condicionado pelos hábitos e valores sociais de uma época.

Teofania (do grego *Théos*, "Deus"; e *phanei*, "aparecer"). Termo teológico que serve para indicar qualquer manifestação temporária e normalmente visível de Deus.

Teologia (do grego *theos*, "divindade"). Estudo das coisas divinas, sua natureza, seus atributos e suas relações com o homem e com o universo. Também denomina o conjunto dos princípios de uma religião ou de uma doutrina e o conjunto das obras teológicas de um autor.

Teologia apofática ou teologia negativa. Defende que todo esforço da racionalidade para definir Deus acaba por limitá-Lo, porque na realidade Ele é muito mais complexo do que o entendimento humano, ultrapassando qualquer esforço racional. Contraria a teologia propositiva ou afirmativa, que faz proposições e descrições a respeito de Deus.

Teologia da esperança Teologia de Jürgen Moltmann que vê a fé ancorada na esperança trazida aos homens pela ressurreição de Jesus, pois essa representa a esperança de uma ressurreição geral. Surgiu como uma tentativa de revigorar a esperança cristã, uma vez que Moltmann pregava que o futuro é a natureza essencial de Deus, e que é no futuro que se cumprirão suas promessas.

Teologia do cuidado Teologia baseada no cuidado e zelo de Deus para com seus filhos.

Teologia sacramental Teologia baseada nos sacramentos da Igreja Católica.

Terra Santa Área entre o rio Jordão e o mar Mediterrâneo, para os cristãos locais onde Jesus nasceu e viveu.

Ultramontanismo Do latim, significa "além das montanhas", especificamente, além dos Alpes, em Roma. Refere-se à posição dos católicos romanos, que enfatizam a importância da autoridade do papa e a ortodoxia.

Via-sacra Caminhada de Jesus do pretório de Pilatos até o Gólgota carregando a cruz. Também conhecida como Via-Crúcis.

Viático A comunhão eucarística dada aos moribundos.

Vulgata Da expressão *vulgata versio*, "versão dos vulgares", é a tradução da Bíblia do grego para o latim, feita por São Jerônimo no início do século v.

Xintoísmo Religião japonesa de base panteísta, baseada no respeito e culto à natureza e na relação do homem com a natureza.

Nomes citados

Abraão (Ibrahim) Personagem bíblico, primeiro patriarca do povo de Israel. Antepassado de Jesus e de todo o povo judeu. É a partir dele que se desenvolveram as religiões abraâmicas, principais vertentes do monoteísmo: judaísmo, cristianismo e islamismo.

Adélia Prado Adélia Luzia Prado de Freitas (1935-). Poeta, filósofa, professora e escritora brasileira.

Agostinho de Hipona (Santo Agostinho) (354-430). Importante teólogo e filósofo do cristianismo.

Allan Kardec Hippolyte Léon Denizard Rivail (1804-1869). Cientista, professor, autor e tradutor francês. É considerado o codificador da doutrina espírita.

Almeida Garrett João Baptista da Silva Leitão de Almeida Garrett, visconde de Almeida Garrett (1799-1854). Escritor e dramaturgo português, um dos principais nomes do Romantismo português. Entre suas obras mais importantes estão *Frei Luís de Souza* (1844).

Aristóteles (384 a.C.-322 a.C.) Filósofo grego, discípulo de Platão, escreveu sobre praticamente todos os assuntos: lógica, metafísica, física, geometria, astronomia, medicina etc.

Defendia a ideia de que o ser humano pode captar o conhecimento no próprio mundo em que vive, e que Deus não é o criador do universo, mas, sim, seu motor.

Bach Johann Sebastian Bach (1685-1750). Músico alemão, principal nome da música barroca e, para muitos, o maior compositor de todos os tempos.

Beccaria Cesare Bonesana (1761-1774), marquês de Beccaria, aristocrata italiano considerado o principal representante do Iluminismo penal.

Bento XVI (papa) Joseph Aloisius Ratzinger (1927-) 265º papa da Igreja Católica. Papa e bispo de Roma desde 2005, renunciou em fevereiro de 2013 alegando não ter mais forças, devido à idade, para exercer o pontificado.

Bergoglio (cardeal) Jorge Mario Bergoglio (1936-), nome de batismo do Papa Francisco, o 266º papa da Igreja Católica. É o primeiro papa latino-americano e jesuíta da história. Ao ser eleito, em março de 2013, escolheu o nome Francisco como referência a Francisco de Assis e à "sua simplicidade e dedicação aos pobres".

Bernadette Bernadette Soubirous (1844-1879) Religiosa francesa, foi a vidente das aparições da Virgem Maria em Lourdes.

Chesterton Gilbert Keith Chesterton (1876-1936). Teólogo, filósofo e escritor inglês.

Christopher Hitchens Christopher Eric Hitchens (1949--2011). Jornalista, crítico literário e escritor britânico. Ateu, foi autor, entre outros livros, de *Deus não é grande*, obra na qual critica duramente as principais religiões alegando que a religião é a fonte de toda tirania e que muitas perversidades foram cometidas no mundo em seu nome.

Clóvis de Barros Filho (1966-) Jornalista, professor e filósofo brasileiro. Autor dos livros *Ética na comunicação* (2008) e *Felicidade ou morte* (com Leandro Karnal, 2016), entre outros.

Constantino Flavius Valerius Aurelius Constantinus (271--337). Imperador romano fundador de Constantinopla, capital do Império Romano do Oriente por mais de mil anos. Foi o primeiro imperador romano a professar o cristianismo.

Costa e Silva Artur da Costa e Silva (1899-1969). Militar e político brasileiro, foi o 27º presidente do Brasil (1967-69).

Cura D'Ars São João Maria Batista Vianney (1786-1859). Sacerdote francês canonizado pela Igreja Católica e considerado o padroeiro dos vigários.

D'Alembert Jean le Rond d'Alembert (1717-1783). Filósofo, matemático e físico francês. Autor de *Discurso preliminar*, obra que despertou a atenção do mundo científico para os novos campos do conhecimento.

D'Holbach Paul-Henri Thiry (1723-1789). Barão d'Holbach. Autor e filósofo franco-alemão conhecido por sua forte posição ateísta e seus escritos contra a religião, sendo o mais famoso *Sistema da natureza* (1770), no qual nega a existência de Deus e diz que a crença é um produto do medo.

Dante Alighieri (1265-1321) Escritor e político, é considerado o primeiro e maior poeta da língua italiana. Autor de *A divina comédia*, uma das obras-primas da literatura mundial.

Darwin Charles Robert Darwin (1809-1882). Naturalista britânico, tornou-se célebre por fazer a comunidade científica, a partir de sua obra *A origem das espécies*, publicada em 1859, acreditar na teoria da evolução das espécies, pela qual organismos mais bem adaptados ao meio têm maiores chances de sobrevivência do que os menos adaptados, deixando um número maior de descendentes, ou seja, trata-se da seleção natural das espécies.

Davi Rei dos judeus e, segundo o cristianismo, ancestral de José, pai adotivo de Jesus. Apascentador de ovelhas e tocador de harpa na corte do rei Saul, foi responsável por matar em combate o gigante guerreiro filisteu Golias.

Diderot Denis Diderot (1713-1784). Filósofo e escritor francês durante o Iluminismo. Editor e contribuinte, com Jean le Rond d'Alembert, da *Enciclopédia* ou *Dicionário racional das ciências, das artes e dos ofícios*, publicado em 1751.

Dom Cláudio Hummes (1934-). Frade franciscano e sacerdote católico brasileiro. Atualmente é arcebispo emérito de São Paulo. Foi considerado para ser sucessor do Papa João Paulo II e é conselheiro do Papa Francisco. Defende a modernização da Igreja Católica. Na época da ditadura militar no Brasil, abriu as portas das igrejas para as organizações sindicais impedidas pelo governo de se reunirem legalmente.

Dom Pedro Casaldáliga Pere Casaldàliga i Pla (1928-). Bispo católico espanhol. Mudou-se para o Brasil em 1968 para fundar uma missão em São Félix do Araguaia, no Mato Grosso, uma região com alto grau de analfabetismo e marginalização social. Dedicou sua vida a lutar pelos direitos dos indígenas e pela população mais pobre. Várias vezes ameaçado de morte, atualmente é bispo emérito da Prelazia de São Félix do Araguaia.

Dostoiévski Fiódor Mikhailovitch Dostoiévski (1821-1881). Escritor e filósofo russo. Tornou-se famoso por seus romances que abordam questões existenciais e temas ligados a estados patológicos humanos. Entre suas principais obras estão *Crime e castigo*, *Os irmãos Karamázov* e *O idiota.*

Eça de Queiroz José Maria de Eça de Queiroz (1845-1900). Escritor português. Sua obra *O crime do padre Amaro* (1875), que critica a vida social portuguesa, denuncia a corrupção do clero e a hipocrisia dos valores burgueses.

Emmanuel Levinas (1906-1995). Filósofo francês nascido em uma família judaica na Lituânia, é conhecido como o filósofo da alteridade. Defende a ideia de que a ética, e não a natureza das pessoas, é a filosofia primeira; de que todo o sentido provém do convívio humano, e que, ao olhar para o seu próximo, o sujeito se descobre responsável e lhe vem à ideia o Infinito.

Epicuro Epicuro de Samos (341 a.C.-270 a.C.). Filósofo grego. Para ele, o propósito da filosofia era atingir a felicidade e o prazer, que considerava como a ausência de dor e a tranquilidade da alma. Defendia que vivemos e morremos por acaso e que, por não haver outra vida depois da morte, é dever do homem tornar a vida o melhor possível.

Erico Verissimo Erico Lopes Verissimo (1905-1975). Escritor brasileiro. Autor de obras como *Olhai os lírios do campo*, é considerado um dos melhores romancistas brasileiros.

Euclides da Cunha Euclides Rodrigues Pimenta da Cunha (1866-1909). Escritor brasileiro. Deixou a carreira militar e a engenharia para dedicar-se ao jornalismo. Após escrever dois artigos sobre a Guerra de Canudos, foi enviado como correspondente à Bahia, e suas pesquisas o levaram a escrever *Os sertões* (1898-1901), marco do modernismo brasileiro.

Fernando Pessoa Fernando António Nogueira Pessoa (1888--1935). Considerado o maior poeta da língua portuguesa.

Feuerbach Ludwig Andreas Feuerbach (1804-1872). Filósofo alemão famoso por seu estudo da teologia humanista. Defendia a ideia de que a religião é uma forma de alienação na qual as pessoas projetam seu conceito de "ideal humano" em um ser superior.

Fidel Castro Fidel Alejandro Castro Ruz (1926-2016). Político e revolucionário cubano, governou Cuba desde a Revolução Cubana, em 1959, até 2008. Sob sua administração, Cuba tornou-se um Estado socialista autoritário unipartidário.

Flávio Josefo (37 ou 38-*c.*100), também conhecido pelo seu nome hebraico Yosef ben Mattityahu, foi um historiador e apologista judaico-romano que registrou *in loco* a destruição de Jerusalém, em 70.

Foucault Michel Foucault (1924-1984). Filósofo e escritor francês. Reconhecido por suas teorias que relacionam poder e conhecimento como forma de controle social.

Francisco (papa) ver **Bergoglio (cardeal)**.

Francisco e Domingos São Francisco de Assis (Giovanni di Pietro di Bernardone, 1182-1226) e São Domingos de Gusmão (Domingos de Gusmão, 1170-1221) são conhecidos por fundarem duas das ordens mendicantes mais conhecidas – os franciscanos e os dominicanos. Ordens mendicantes são ordens religiosas formadas por frades ou freiras que se dedicam a obras de caridade e ao serviço em favor dos mais pobres.

Francisco Xavier Francisco de Jasso Azpilicueta Atondo y Aznáres (1506-1552). Missionário católico pioneiro e cofundador da Companhia de Jesus.

Frei Galvão Antônio de Sant'Anna Galvão (1739-1822). Frade católico considerado o primeiro santo nascido no Brasil.

Freud Sigismund Schlomo Freud (1856-1939). Nascido em família judaica na Áustria, médico neurologista considerado o pai da psicanálise.

Guimarães Rosa João Guimarães Rosa (1908-1967). Médico, diplomata e escritor brasileiro. É considerado um dos maiores escritores brasileiros de todos os tempos.

Guru Nanak Nanak Dev Ji (1469-1539), nascido no Punjab, numa família hindu, fundou o siquismo, religião panteísta e monoteísta que conta com 20 milhões de adeptos.

Hans Küng (1928-) Filósofo e teólogo suíço. Em 1979, teve sua licença para ensinar teologia revogada pela Igreja Católica por rejeitar o "dogma da infalibilidade papal".

Heidegger Martin Heidegger (1889-1976). Professor, escritor e filósofo alemão. Seus estudos foram considerados a ligação entre o existencialismo e a fenomenologia, pela preocupação em elaborar uma análise profunda da existência, procurando esclarecer o verdadeiro sentido do ser.

Hume David Hume (1711-1776) Filósofo, historiador e ensaísta britânico que se tornou célebre por seu empirismo radical e seu ceticismo filosófico. Foi acusado de heresia pela Igreja Católica por ter ideias associadas ao ateísmo e ao ceticismo.

Ibrahim (Abraão) ver **Abraão** (Ibrahim).

Inácio de Loyola Íñigo López (1491-1556). Padre espanhol fundador da Companhia de Jesus (1534).

Isaac Personagem bíblico. Único filho de Abraão e Sara. Pai de Esaú e Jacó.

Jacques Lacan Jacques-Marie Émile Lacan (1901-1981). Psicanalista francês. Seguidor de Freud, foi quem mais contribuiu para a continuidade da obra do psicanalista. Criou sua própria corrente psicanalítica, o lacanismo.

Jansen Cornelius Otto Jansenius (1585-1638). Filósofo e teólogo holandês que inspirou o jansenismo.

John Lennon John Winston Lennon (1940-1980). Músico, compositor, escritor e ativista britânico. Um dos fundadores da banda The Beatles.

Juan Diego Juan Diego Cuauhtlatoatzin (1474-1548). Índio mexicano que tinha visões de Nossa Senhora de Guadalupe.

Jürgen Moltmann (1926-). Teólogo protestante alemão, autor de *Teologia da esperança* (1967).

Karl Rahner Karl Josef Erich Rahner (1904-1984). Sacerdote jesuíta alemão e um dos mais influentes teólogos do século XX.

Keith Thomas (1933-). Professor e antropólogo inglês.

Kennedy (família). Importante família norte-americana ligada à política, principalmente ao Partido Democrata.

Kierkegaard Søren Aabye Kierkegaard (1813-1855). Filósofo e teólogo dinamarquês. Sua obra teológica discute a ética cristã e a Igreja como instituição.

Leonardo Boff Genézio Darci Boff (1938-). Professor e teólogo brasileiro considerado um dos iniciadores da Teologia da Libertação. Foi condenado a um ano de silêncio obsequioso pelo ex-Santo Ofício, por suas teses no livro *Igreja: carisma e poder*, em 1985.

Lula Luiz Inácio Lula da Silva (1945-). Político brasileiro, foi o 35º presidente do Brasil (2003-2010).

Lutero Martinho Lutero (1483-1546). Monge agostiniano e teólogo alemão. Figura central da Reforma Protestante e fundador da Igreja Protestante. Foi excomungado da Igreja Católica em 1517. Lutero pregava que a salvação era fruto direto da fé do cristão e que não havia intermediários entre os homens e Deus.

Machado de Assis Joaquim Maria Machado de Assis (1839--1908). Um dos maiores escritores da literatura brasileira.

Madre Teresa Agnes Gonxha Bojaxhiu (1910-1997). Nascida na Albânia, ingressou na ordem de Nossa Senhora de Loreto e passou a usar o nome Teresa em homenagem a Santa Teresa de Lisieux. Foi enviada à Índia e, em 1946, decidiu abandonar o noviciado e se dedicar aos necessitados. Recebeu o Prêmio Nobel da Paz em 1979. Foi beatificada pela Igreja Católica em 2003 e canonizada pelo Papa Francisco em 2016.

Mao Mao Tsé-Tung (1893-1976). Político comunista chinês, liderou a Revolução Chinesa, sendo responsável pela fundação, em 1949, da República Popular da China.

Marília Gabriela Marília Gabriela Baston de Toledo (1948-). Jornalista, apresentadora, atriz e cantora brasileira, comandou importantes programas de entrevistas como *Marília Gabriela Entrevista* e *De Frente com Gabi*.

Mario Bunge Mario Augusto Bunge (1919-). Físico e filósofo humanista argentino, defensor do realismo científico. Ateu declarado, é conhecido por suas críticas a correntes filosóficas como o existencialismo, a fenomenologia e a hermenêutica.

Mario Vargas Llosa Jorge Mario Pedro Vargas Llosa (1936-). Jornalista e escritor peruano, recebeu o Prêmio Nobel de Literatura em 2010 .

Mia Couto António Emílio Leite Couto (1965-). Biólogo e escritor moçambicano.

Michelangelo Michelangelo di Lodovico Buonarroti Simoni (1475-1564). Arquiteto, escultor e pintor italiano, um dos maiores representantes da Renascença italiana. De 1508 a 1512, pintou o teto da Capela Sistina. Durante o pontificado do Papa Paulo III, entre 1534 e 1541, Michelangelo pintou o afresco na parede do altar da Capela Sistina, o *Juízo Final*, em que Cristo aparece como juiz.

Miguel Servet (1511-1553). Médico, filósofo e teólogo espanhol, desenvolveu uma cristologia não trinitária. Condenado por católicos e protestantes, foi queimado na fogueira como herege.

Muhammad (profeta) (571-632). Maomé. Líder religioso, político e militar árabe. Segundo a religião islâmica, o mais recente e último profeta do Deus de Abraão.

Narciso Personagem da mitologia grega famoso por sua beleza e por seu orgulho. Tornou-se símbolo da vaidade.

Nelson Rodrigues Nelson Falcão Rodrigues (1912-1980). Jornalista, escritor e dramaturgo brasileiro.

Newton Isaac Newton (1643-1727). Astrônomo, cientista, físico, matemático e teólogo inglês. Sua obra *Princípios matemáticos da filosofia natural* (1687), que descreve a lei da gravidade e as três leis de Newton – que fundamentam a mecânica clássica –, é considerada uma das mais influentes na história da ciência.

Nietzsche Friedrich Wilhelm Nietzsche (1844-1900). Filósofo e escritor alemão. Autor de textos críticos à religião.

Nossa Senhora de Fátima ou Nossa Senhora do Rosário de Fátima. Uma das invocações marianas atribuídas à Virgem Maria em Fátima, Portugal.

Nossa Senhora de Guadalupe Popularmente chamada de Virgem de Guadalupe, é a padroeira do México e "imperatriz da América".

Nossa Senhora de Lourdes Nome dado à Virgem Maria em sua aparição em 1858 em Lourdes, França, a uma jovem chamada Bernadette Soubirous, hoje Santa Bernadette.

Nossa Senhora de Salete Nome dado à Virgem Maria em sua aparição na montanha de La Salette, nos Alpes Franceses, em 1846.

Ortega y Gasset José Ortega y Gasset (1883-1955). Filósofo, jornalista e ativista político espanhol.

Osíris Deus egípcio associado à vegetação e à vida no além.

Padre Lara Duarte Sousa Lara (1975-) Sacerdote português, doutor em teologia, há cerca de dez anos foi nomeado "exorcista" por seu bispo.

Padre Meslier Jean (1664-1729). Sacerdote francês, autor de um tratado filosófico promovendo o ateísmo.

Padre Vieira Antônio Vieira (1608-1697). Filósofo e escritor português. Orador da Companhia de Jesus. Foi missionário no Brasil, onde evangelizou e defendeu os direitos dos indígenas.

Pascal Blaise Pascal (1623-1662). Físico, matemático, filósofo e teólogo francês.

Paul Johnson Paul Bede Johnson (1928-). Escritor e jornalista britânico. Católico e considerado conservador, é especialista na história da Igreja.

Paulo (apóstolo) Paulo de Tarso. Personagem bíblico. Quando jovem, assistiu ao apedrejamento de Estevão, o primeiro mártir cristão, e se tornou um perseguidor da Igreja, fazendo campanha contra os cristãos, até ter uma visão de Jesus e se converter ao cristianismo. Fundou várias igrejas e é autor de 13 livros do Novo Testamento.

Philippe de Champaigne (1602-1674). Pintor francês de origem flamenga, notável por suas pinturas religiosas.

Piaget Jean Piaget (1896-1980). Psicólogo suíço considerado um dos mais importantes pensadores do século XX.

Pilatos Pôncio Pilatos. Governador da Judeia de 26 a 36. Juiz que condenou Jesus Cristo à morte na cruz.

Pio IX Giovanni Maria Mastai-Ferretti (1792-1878). Papa católico de 1846 até sua morte.

Pio XI Ambrogio Damiano Achille Ratti (1857-1939). Papa da Igreja Católica de 1922 até sua morte.

Pio XII Eugenio Maria Giuseppe Giovanni Pacelli (1876-1958). Papa da Igreja Católica de 1939 até sua morte.

Platão (427 a.C.-347 a.C.). Filósofo e matemático grego, aluno de Sócrates e professor de Aristóteles.

Plínio Salgado (1895-1975). Teólogo, jornalista, escritor e político brasileiro. Fundador da Ação Integralista Brasileira, partido de extrema direita inspirado nos princípios do fascismo italiano.

Queiruga Andrés Torres Queiruga (1940-). Teólogo e escritor espanhol.

Rasputin Grigoriy Yefimovich Rasputin (1869-1916). Monge russo que se autoproclamou santo e dizia ter poderes sobrenaturais.

Renan Joseph Ernest Renan (1823-1892). Teólogo, escritor e filósofo francês.

Richard Dawkins (1941-) Biólogo e escritor britânico. Ficou conhecido por seu livro *O gene egoísta*, de 1976, que popularizou a visão da evolução centrada nos genes. Ateu declarado, é famoso por suas críticas ao criacionismo.

Rousseau Jean-Jacques Rousseau (1712-1778). Filósofo francês nascido na Suíça, um dos principais autores do Iluminismo francês.

Rubem Alves (1933-2014). Escritor, psicanalista, educador, teólogo e pastor presbiteriano.

Santa Ana Mãe de Maria, avó de Jesus.

Santa Catarina Labouré (1806-1876). Religiosa francesa que teve três visões de Nossa Senhora. Foi beatificada em 1933 e canonizada em 1947.

Santa Teresa d'Ávila Teresa de Ávila (1515-1582). Freira carmelita importante por suas obras sobre a vida contemplativa e por sua atuação durante a Contrarreforma.

Santa Teresinha do Menino Jesus Teresa de Lisieux (1873-1897). Freira carmelita francesa, foi beatificada em 1923 e canonizada em 1925.

Santo Agostinho ver **Agostinho de Hipona.**

São João da Cruz João da Cruz (1542-1591). Sacerdote carmelita espanhol considerado o representante principal da mística da Igreja no mundo. Foi canonizado em 1726 e, em 1926, o Papa Pio XI o declarou Doutor da Igreja.

São Paulo ver **Paulo (apóstolo).**

São Tarcísio (245-257). Santo romano, padroeiro dos coroinhas. Foi morto levando hóstias a mártires que seriam executados na cadeia durante o papado de Sisto II.

Sara Personagem bíblica. Esposa de Abraão e mãe de Isaac.

Sartre Jean-Paul Charles Aymard Sartre (1905-1980). Escritor e filósofo existencialista francês.

Sêneca Lúcio Aneu Sêneca (4 a.C. 65 d. C). Filósofo estoico romano.

Sócrates (469 a.C.-399 a.C.). Filósofo grego considerado fundador da filosofia ocidental.

Spinoza Baruch de Espinoza (1632-1672). Nascido na comunidade de judeus portugueses estabelecida em Amsterdã, foi estudante do Talmude e excomungado da fé judaica. Seus escritos filosóficos negam a imortalidade da alma.

Stálin Josef Vissariónovitch Stálin (1878-1953). Nascido Ioseb Besarionis Dze Djughashvili, passou a usar o nome Josef

Stálin em 1913. Tornou-se o braço direito de Lênin. Assumiu o controle da Revolução Russa de 1917 e o poder no país até a sua morte.

Teresa de Lisieux ver **Santa Teresinha do Menino Jesus**

Tomás de Aquino (1225-1274). Frade italiano da Ordem dos Pregadores. Sua principal obra, *Suma teológica*, trata das relações entre a ciência e a fé, a filosofia e a teologia.

Vermeer Johannes Vermeer (1632-1675). Pintor holandês.

Voltaire François Marie Arouet (1694-1778). Escritor e filósofo iluminista francês.

Weber Karl Emil Maximilian Weber (1864-1920). Jurista e economista alemão considerado um dos fundadores da sociologia.

Zezinho (Padre) José Fernandes de Oliveira (1941-). Escritor, músico e padre brasileiro da Congregação dos Sacerdotes do Sagrado Coração de Jesus.

Este livro foi composto em Adobe Garamond Pro, Bliss Pro e Formata
e impresso pela Intergraf para a
Editora Planeta do Brasil em outubro de 2017.